La collection
ÉTOILES VARIABLES
est dirigée par
André Vanasse

Le prince des ouaouarons

La publication de cet ouvrage a été rendue possible grâce à l'aide financière du Conseil des Arts du Canada, du ministère des Communications du Canada et du ministère de la Culture et des Communications du Québec.

XYZ éditeur
1781, rue Saint-Hubert
Montréal (Québec)
H2L 3Z1
Téléphone : 514.525.21.70
Télécopieur : 514.525.75.37

et

Marc Gendron

Dépôt légal : 1er trimestre 1997
Bibliothèque nationale du Canada
Bibliothèque nationale du Québec
ISBN 2-89261-184-9

Distribution en librairie :
Dimedia inc.
539, boulevard Lebeau
Ville Saint-Laurent (Québec)
H4N 1S2
Téléphone : 514.336.39.41
Télécopieur : 514.331.39.16

Conception typographique et montage : Édiscript enr.
Illustration de la couverture : Léonard de Vinci,
Saint Jean-Baptiste, vers 1515.

Marc Gendron

Le prince

des ouaouarons

XYZ
éditeur

In memoriam
Gaétan Tougas
(1953-1984)

I

La peau

Le corps est un chasseur solitaire. Il va et vient capricieux et félin, papilles en effervescence et pupilles dilatées. J'ai fréquenté toutes les espèces de la gent masculine et chaque homo sapiens ou pas m'est apparu comme un sphinx digne d'intérêt. Auprès de chacun je me suis couché comme dans un champ de blé : je recherche l'outre-vie (c'est-à-dire l'âme même qui se manifeste parfois dans l'offrande musicale ou religieuse) — là jubile le jujube.

Une bitte se déballe tel un instrument rebelle sur lequel forger de folles mélodies : des nocturnes servis à une sauce jazz, des symphonies fracassantes et fragiles, des boogie-woogies pétillants à pleine coupe. Dix hommes à la queue leu leu m'en font voir de toutes les couleurs — et lorsqu'un jouisseur en râlant m'asperge je déraille. Toute connaissance de soi (et des méandres de l'Autre) passe par la peau et il s'ignore le mâle qui n'en a pas épuisé toutes les révélations.

Au milieu des gays je me suis effeuillé et partout j'ai été accueilli comme un prince : à bras ouverts ou la braguette aux aguets et chaque party virait à la partouze. J'ai coudoyé des sages aussi bien que des fous et avec tous j'ai partagé salive et foutre. Le sexe n'a pas de cœur et il n'en fait qu'à sa tête (tel un allegro dans les buissons ardents) — j'ai baisé tout mon saoul et aussitôt cette mauvaise passe surmontée je reviendrai à mes boucs.

Car les mecs ne se racontent pas d'histoires : ils abhorrent la harpe et la lyre, ils prennent l'amour à la légère et courent droit au but. Le plaisir se suffit à lui-même et je n'ai jamais senti le besoin de me cacher derrière l'écran des mots doux (ce subterfuge des bluffeurs et des fleurs bleues) — j'ai le feu au cul et je ne fais pas de distinction entre désir et délire.

Ma vie tourne autour du sexe et il y a belle lurette que je me suis égaré dans ses dédales. J'ai des mains d'artiste, une blonde crinière, des fesses prodigues et de grands yeux d'un bleu délavé — si bien que les infirmières (mignonnes ou cochonnes) ont jeté sur moi leur dévolu. Je ne suis qu'un enfant du siècle qui s'est laissé guider par l'aveuglement des sens : j'ai joué et joui en compagnie de radieux gaillards qui ne demandaient que ça et rien d'autre.

Eux seuls m'ont appris à vivre. Car de mémoire d'homme d'aucuns quand ils me repèrent grimpent dans les rideaux et certains bandent (par-dessus tout) vers les cimes. Je me tape tous les gays de bonne volonté et à force de semer éperdument mon foutre à tous les vents j'ai récolté quelques maladies vénériennes — et une moisson de souvenirs qui me nourriront (à la folie) jusqu'à la guérison.

Je m'emmerde ici (comprimés et étourdissements ponctuant les jours qui défilent comme le rouleau d'un piano mécanique) et j'ai prié Gabriel-Pierre de me procurer un dictaphone. Le temps me pèse moins lorsque je monologue et j'ai vite découvert qu'il est amusant de troubler le silence : il suffit d'appuyer sur un bouton pour me délier la langue — je veux donc profiter de ce repos forcé pour me remplumer en ratissant mes jardins et mes plates-bandes.

(Hier soir elle m'a semblé plutôt transie cette voix en provenance de l'éther : il n'osait ni entrer dans la danse ni couper court ce mignon, mais il a fini par prêter une oreille et une couille attentives à mes suggestions toutes crues. Puis il m'a balancé à la figure une bordée d'envolées obscènes — j'ai giclé comme dans un rêve humide, tandis qu'à l'autre bout du fil je l'entendais se lamenter et exulter à coups de trémolos bien roulés.)

Je viens de croiser Francesco (au rond-point de l'imaginaire et des mots) en furie au milieu d'une foule agitée qu'il fend à coups de coude avant de se dresser sur ses ergots devant un rond-de-cuir ébahi. Une grande vague de chaleur me submerge et ça rigole si fort en moi que j'en ai des larmes aux yeux — qui possède de tels souvenirs n'a pas vécu en vain et par ici la cornemuse et le biniou.

L'été tirant à sa fin (je l'avais rencontré au ciné-club de la Cité-U) l'envie nous est venue de folâtrer tels des lézards au soleil : pouce au vent nous avons été pris par un routier qui dès le premier restosnack nous a offert cent francs pour triumvirer à toute vapeur et cinquante afin de nous observer en pleine action. À la revoyure mon pote et voici qu'un prolo en cavale nous emmène droit vers Grenoble — mais tiraillé soudain par les nanas de Saint-Trop' il rate la voie de sortie et nous suggère (gesticulant et jactant de jazz avec une voix de clarinette bechetée) de foncer vers la Côte fleurie de promesses en or.

Nous pionçons à l'auberge d'une petite ville quelque part en montagne et repartons de bon matin frais et dispos. Les Alpes franchies il a crevé dans une odeur de big-bang : si bien que nous avons capoté au ralenti dans le fossé tels des amoureux dans le foin. Nous rampons rapido hors de sa coccinelle, abasourdis par ce joyeux drille en mesure de citer le reproche adressé à Hegel par Marx — ajoutant même que puisque Django a su jouer de la guitare (et comment) avec deux doigts raides, il saura bien se satisfaire d'une bagnole carabossée.

Un prof collet monté nous a déposés à Nice où nous nous sommes accordé un remontant à une terrasse du port. Nous dégustions notre pastis avec le flegme bovin des connaisseurs lorsqu'un Allemand drôlement paf (attendri peut-être par nos mines jumelles) nous a demandé de le conduire à Rome. Nous n'en étions pas à une balade près — et à peine Francesco avait-il embrayé que notre chauve Boche ronflait déjà du sommeil des ivres sur la banquette arrière.

À Pise il nous a royalement traités et (après avoir vidé plusieurs bouteilles) nous avons dormi dans une somptueuse pension belle époque. Le lendemain il est resté sobre jusqu'au début de l'après-midi : quand soudain la description détaillée des atouts et mensurations de sa cocotte l'a mis dans tous ses états de grâce. De sorte que nous l'avons livré à l'hôtel Trevi rond de pied en cap, au grand désarroi d'une plantureuse pépée au parfum — d'où j'en conclus que les grosses gommes se prennent pour des surhommes quand ils dorlotent une pute de luxe dans la Ville éternelle de leur désir.

Adieu macadam ménagères managers bien couvés : nous transportons nos cliques claques à la gare et sautons dans le premier train en partance pour Brindisi. Nous nous pointons au port en début de soirée et sous une grosse lune éclairant le branle-bas de l'embarquement la queue grouillante de têtes hirsutes se met

bientôt à progresser limace (dans une cacopho-
nie perlée de rires et avec force fiasques de gros
rouge faisant la ronde) — nous allions accéder
à la passerelle lorsque le Bouddha galonné qui
en barrait l'accès nous a refoulés en barrissant
qu'on ne pouvait passer outre au visa de sortie
en forme de sceau.

Nous nous précipitons vers le bureau doua-
nier où sue une fournée de touristes couinant
comme des babouins — après quelques minutes
Francesco a explosé et si bien joué la comédie
de l'hystérie que tous les carabinieri soutenus
par un régiment de zouaves n'auraient pu le
contenir. Un tampon a réglé nos problèmes
ainsi que nos papiers et (en attendant de nous
gorger d'amour sous le ciel de Corfou) nous
avons déniché un coin sur le pont où nous faire
des papouilles: décidément mes coqueluches
n'ont pas d'âge et la mémoire est aussi une
affaire de peau.

Souvent un saltimbanque (flash en provenance d'une ville anéantie, énigme enfouie
dans la cendre avant que le phénix ne se fasse
fétiche) jaillit derrière mes paupières. Un nom
clignote dans la nuit (Ricky Sven Thierry) ils
surgissent des nues mes revenants et puis s'en

vont. Salut Tony : King-Créole tout irradiant, diamant brut rutilant à cœur de journée, ange noir absorbant toute la lumière — mais où balances-tu en cet instant tes épaules enveloppées dans un tee-shirt éblouissant.

Empalé sur mon poing tu te défonces en geignant telle une statue en transe et longtemps je te garde en équilibre sur la pointe de mon regard avant de boire tes jus qui sourdent comme du fond d'un puits. Je caresse ton visage transfiguré et lorsque tu reprends tes sens tu as la mine détachée d'un gourou. Puis tu me bécotes (en consultant ta montre Rolex) et te rhabilles en moins de deux — tu as un meeting à trois heures : une fusion entre géants, un holding japonais accaparant une multi américaine.

Qu'il porte un costume ou un jeans serré Tony attrape par la queue les faveurs du moment (et considère son job comme un hobby) — il se meut avec la même élégance désinvolte dans un club sélect du quartier financier et dans un bar gay, il lit les tableaux comparatifs du *Wall Street Journal* avec autant de facilité que les signaux de la drague, il connaît dans chaque capitale les milieux de la Bourse et les hôtels de garçons. Ses semaines filent au rythme des coucheries et des briefings : il a une vie bien déréglée sans aucun temps mort.

Il galope à bride abattue à travers les prairies bitumées de la Pomme — il brasse des millions comme s'il s'agissait d'une partie de fesses et il m'encule comme si j'étais un coffre-fort.

Toujours quelque chose l'attend (une réunion importante ou un mec bandant, une entreprise dans laquelle s'aventurer à corps perdu) et il gère le quotidien en trouvant partout son profit: son compte en banque se gonfle de concert avec le foutre éparpillé aux quatre coins de la Cité.

Dans un lit dévasté (aussi bien que dans une réunion d'affaires) Tony sait demeurer aussi naturel qu'un bambin obnubilé par l'avion miniature qu'il construit. Tout n'est que jeu ou performance et dans le feu de la compétition les plus futés triomphent: il faut aller au bout de soi, la manne tombe et il s'investit dans la jouissance. À l'un de ces jours Tony, je suis sûr que tu te souviens de moi et lorsque je réapparaîtrai je te — je laperai la crème de tes yeux.

Dès mon plus tendre âge j'ai yeuté les mâles (j'ai toujours été sensible aux visages ourlés de brume) — mon pays ce n'est pas un pays, c'est les gays et quand devant l'un je retiens mon souffle une sacrée soirée s'incandessine. La chasse est mon lot et la proie en bonnes mains: sur le pourtour du temps se trame le réveillon des instants et je rends hommage au soleil levant en déchargeant sous une salve de gazouillis.

Oui je les veux tous — les corps et les queues (avec des couilles comme des œufs d'hirondelle) qui jutent tout à loisir et m'emplissent la gueule d'un foutre au goût de bière et de miel. Et tous ils viennent vers moi (jouisseurs lunaires et acrobates de la volupté) afin d'égayer les fougueuses provinces de la chair et de remettre leur bel ouvrage sur le métier: des nuits sans fin et toute une vie de sueur et d'ardence pour m'approprier le monde tel que reflété sur les torses qui dansent dans le champ des apparences.

Ainsi lorsque j'étais gamin — monte et descend la pente, de la route à la rivière le toboggan comme un train affolé, une monture enjouée que j'enfourche pour arpenter ventre à terre le royaume de l'hiver et atterrir les quatre fers en l'air dans la neige (Jojo à mes trousses et la morve au nez). Mitaines mouillées et tuque de travers j'ai gravité autour du plaisir jusqu'à me perdre dans son brasier: de toute évidence je suis un funambule évoluant sur la corde raide du désir.

Rien ne m'émeut autant que le désir moulant des formes mâles tel un habit de lumière et depuis que je me frotte à ses avatars dans les backrooms je lui ai vendu mon âme. D'un amant à l'autre (à une autre époque j'aurais été galérien ermite troubadour, mais le plaisir a fait de moi un gay coureur) se transmet la flamme du flambeau — tant et si bien que je ne résiste jamais à une tête maoriante ou à une voix de métèque ou à un cul hors pair : tout m'est talon d'Achille.

Roy (Ecce homo à coup sûr) trônait derrière le bar, pareil à un cygne au milieu des canards. Il tenait beaucoup de place, les regards inquisiteurs se posaient sur lui et les pingouins en battant des ailes accouraient. Mon sang se fige (comme les yeux retenus par une phrase, par une intuition qui a pu se glisser dans le courant du langage) — si je ne le conquiers pas illico son plumage me fera défaut jusqu'à la fin des âges : c'est le coup de foutre et le pot aux roses qu'il me réserve doit éclore maintenant ou jamais.

Donc le jeu démarre et (serein, car si tu me rejettes je saurai bien me consoler) je m'approche de toi : jusqu'à l'aube le sexe jacasse et répand sa bave lustrale dans tous nos pores. Nous incarnons deux guépards lancés à l'aventure dans une forêt d'émeraude et nous nous édifions une tanière de cristal aussi fragile qu'une bulle de savon (la cathédrale et la toile d'araignée témoignent d'un même prodige) — nos sens aspirent à la liberté d'avant la création et lorsque le sommeil nous happe nos corps se perdent dans la musique des sphères.

Mes couilles palpitent tel un cœur de mé-
sange à l'orée de la brunante — et la fantaisie
tire des plans sur la comète afin de mieux fran-
chir les océans et les galaxies. J'ingre maintenant d'un drôle de violon : la souvenance
s'égare dans les reflets du miroir quand elle est
surprise par une ribambelle de souvenirs taillés
au couteau. J'aime bien sucer agenouillé
(comme un moine priant son dieu) et j'ai adoré
tous les enfanfans qui me couraient après sur les
pistes pensives du désir.

(Dans l'avion vers Honolulu mes yeux se
posaient sans cesse sur lui : un mec plus ultra qui
tenait tendrement entre les siennes la main
d'une poupée platinée. Or j'ai repéré un
steward et pendant le film spaghetti-ouesterne
je me suis claustré avec lui dans les vécés. Il s'est
jeté sur moi tel un chat sur un oiseau — je suis
venu et il m'a bu et j'ai vu des archanges en
orbite autour du soleil.)

Ils vont et viennent les gay lurons, sans trêve
et sans repos, de toute éternité en mille et une
contrées dispersés. Astres nomades à la recherche de vases communicants, ils font la navette
entre l'éther et la terre. Ils s'appellent Pierre
Jean Jacques ou portent des noms exotiques
(Yang Akmadesin Nakoda Tibo) — et parfois

même ils sont si éblouissants qu'ils entrent du jour au lendemain dans la légende : ils resplendissent dans le firmament et illuminent la nuit des métropoles.

De New York à San Francisco nous sommes légion, oui entre Montréal et Paris (dans une autre ville je renais) je m'avance en ouvrant l'œil pour les remarquer : les happy fous qui se prêtent leur corps de joie en pagaille, les Robin des Bois qui mettent le feu aux poudres et célèbrent la peau en fleurs — d'où je soupçonne que la naissance est un non-sens exquis que l'aventure des sens rend plus dense.

Tu savais fagoter les pires banalités dans un langage chatoyant et tu avais aussi de la repartie lorsqu'il s'agissait de tourner autrui en dérision : ta réputation de langue de vipère vient de ton aptitude à te hausser d'un cran au-dessus de tes crétines de clientes — mais t'imaginais-tu m'avilir en m'offrant deux mille francs pour que je te réchauffe au martinet. Tu t'es enduit le nœud de coke (histoire de m'offrir ton âme d'artiste sur un plateau d'argent) et il m'a fallu me démener comme un ouaouaron dans un bénitier.

Tu ne te débrouilles pas mal, tu te remets des tourments de la création et puises dans mon cul l'inspiration qui te permettra de déguiser certaines femelles en vue (vamps speakerines chipies) en précieuses évanescentes ou ridicules. Je me suis consolé sous cape de ta fatuité : en soupirant les yeux fermés j'ai maudit la chance d'avoir su embobiner une petite main aux doigts de fée — oui je l'avais surnommé la Grande Loque ce designer-couturier qui se faisait gloire d'habiller les snobs.

Après nos ébats tu t'es assoupi et j'ai déguerpi : non sans chiper ton portefeuille ainsi que ta montre Must (sans oublier la bague et le briquet assortis). Car les têtes brûlées qui ronflent et se prennent pour des initiés me piquent au vif et je n'ai pas lésiné sur la manière de te faire chier. J'ai donné cent balles à un mendiant, cédé tes cartes de crédit à un jeune prostitué et bazardé les bijoux — puis je me suis empressé d'aller rejoindre Giancarlo en première classe.

Je n'ai jamais volé que par amour de l'art. Je glissais un bouquin sous mon blouson, puis je le balançais dans une poubelle une fois dans la rue. Ou j'enfile un veston sport dans une boutique huppée (belle gueule oblige et je n'ai pas les revenus adaptés à mes goûts) et au son de l'alarme je mets les gaz : les voyous et les dragueurs sont des saints innocents friands de sensations. Quoique aussitôt sorti d'ici je renoncerai à cette habitude — seul un corps vaut le coup qui a la décence de se dissimuler sous des atours quelconques, tandis que les formes enjolivées par la toilette s'avèrent trompeuses et vantardes.

Je ne me suis jamais attaché (sinon avec des menottes de cuir à une tête de lit) et je ne m'en porte pas plus mal : je me suis contenté d'accueillir tous les idolâtres épousant le profil de mes songes. Je pratique l'art brut et tout cavalier d'occasion me comble — j'aboie à la pleine lune des amourettes et je ne réclame rien de plus que le dérèglement du moi. Prendre son pied avec un mâle, c'est retrouver le carré de sable des lointains étés.

Les larmes sont l'affaire des mères et des poètes (ces chantres de la résignation ou de l'impuissance) et j'abandonne donc l'amour et ses émois aux belles âmes en mal de sérénades. Seuls les corps me transportent : les corps justes, les corps libres et fiers, les corps corps. Quand la lumière du désir m'enveloppe je fonds sur mes agneaux tel un faucon du haut d'une falaise — dans la gratuité et la munificence des sens je me libère de mes chaînes.

La peau me fait tripper tandis que le nirvana m'ennuie et j'ai à bon escient emprunté le petit véhicule du sexe : encore et toujours, à cor et à cri et en toutes occasions. Perdre contenance à la vue d'un homme, c'est rendre hommage au gay savoir et à l'insouciance — et j'aurai un coin d'éternité en partage pour faire mon deuil de ce monde et passer en revue la bande d'Adonis qui m'ont ébloui.

J'ai été un étudiant en tout semblable à mes condisciples (les slogans aux lèvres et l'allumelle au poing). J'avais opté pour Paris afin de m'ouvrir des horizons — de vicieux aux cieux il n'y a qu'un pas et je me rappelle avoir noté l'adresse du Pep (Parti à l'écoute des prisonniers) qui à en croire la petite annonce s'engageait à me fournir des contacts. Elle était plutôt courte la liste qu'on m'a refilée et il aura fallu ce détour pour me guérir de l'illusion selon laquelle les détenus sont autant portés sur la plume que sur le rossignol. Un nom sonnant exotique (malien malgache ivoirien) m'a frappé et je lui ai sur-le-champ fait parvenir les effusions de ma prose assaisonnées de je ne sais trop quelles insanités : la rébellion l'espoir la dignité et quoi encore.

J'ai ainsi pu goûter les divagations d'un zigoto pure laine qui m'en racontait des vertes et des pas mûres : le panache de mon tout coquet et ce désir échevelé qui me consume par les deux bouts et mes couilles qui dansent la java en traçant ces lignes destinées à un mec sympa qui a eu la bonté de s'arrêter sur mon message à l'eau de sexe. Côté démangeaisons en effet

Amadou était servi — les images ding-dingues qui me lèchent les méninges m'en font baver et mes burettes en ébullition n'en finissent plus d'emplir le calice de mon abandon.

Oui survivre derrière les barreaux c'est pas du gâteau : tous ses copains et proches l'ont laissé tomber (et je n'ai plus un rond pour me payer douceurs et clopes à la cantine). Ses compagnons de sort savent bien sûr le remonter, quoiqu'une séance de foutre avec un bagnard ça manque de piquant et de contrastes. Pendant qu'il essaie de se figurer ma trogne il se tripote la pine — ça me tourneboule de savoir qu'un mâle dont j'ignore tout rêve à moi bandé comme un cerf. Et puis il ne peut continuer à se flatter le poil de la sorte et doit s'étendre pour mieux se branler à tour de bras.

Avant de passer à l'action il avait le culot (qu'il me priait d'excuser) de me demander si j'étais disposé à lui envoyer un peu de pognon. La moindre obole ferait l'affaire et il me le rendrait bien dès sa sortie : on ira boire un pot ensemble ou on se le cassera car ma foi une grosse bitte bien dure est toujours la bienvenue. À l'époque il s'éclatait chaque soir à la fin de son numéro et couronnait le happy end du mois par une super-ribote — rien que d'y penser je brame à en ébranler le septentrion, un dernier coup de pouce à la folle du logis et voilà que le maître de céans baigne dans un océan.

Plus détendu il pouvait conclure — ta générosité te sera rendue au centuple, en captivité le désespoir guette (le plus moche des gonzes me chavire et mes valseuses en prennent de la graine) et seuls les dons et lettres de bons Samaritains comme toi permettent de se renflouer. Il avait de plus un chouette de projet : une fois élargi il réunira tous ceux qui lui ont prêté main-forte et les entraînera dans des agapes à leur faire perdre la tête et tout le bazar. À la prochaine donc, si tu as envie de virer maboul en te frottant à un aventurier hors du commun.

(Elle n'était pas mal son envolée — je n'invente rien, je le jure sur la boule de billard d'un illustre fellacteur, expert dans l'usage du rire et des plaisirs. Mon épistaulard faisait cependant trop bien la roue : il s'agissait fort probablement d'une femelle toute miel qui jouait au plus malin, ou d'un pen-boy assez astucieux pour ramasser du fric sans se donner la peine d'ôter son froc. Or le sort sourit rarement aux poissons d'avril et j'ai délié les cordons de ma bourse pour y aller d'un billet bleu.)

La musique de ton nom me trotte en tête (Bodo Guido Benno Timo, je survole les terrains vagues du passé) — j'ai construit mon corps dans l'excès (dans chaque bar flambent mille et un caprices gonflés par le souffle du désir) et mes nuits ont été des pâques fleuries d'agneaux que j'ai cajolés comme des miraculés. Il est long le voyage et je m'avance à tâtons : dans toute chair j'ai puisé à pleines mains et de soirs de fête en plaisirs nomades la drague se terminait en festin.

(Pardonne-moi Marc, la fatigue me tombe souvent dessus subito et je dicte ces lignes en me laissant guider par tes boutades en forme de bouts-rimés Fonce à un train d'enfer et repose-toi les fesses à l'air. En me baisant afin de mieux me mettre dans tes livres tu faisais d'une pierre deux coups — vivre c'est brûler et tout le reste n'est que littérature : c'est-à-dire amusette et recherche de soi à temps perdu.)

Il n'y a qu'un engrenage d'affirmations et de doutes successifs (des points de repère disséminés tout au long d'un parcours vif comme une lame de fond) — tout compte fait la mer n'existe pas mais seul le mouvement des vagues à l'infini. Tant et si bien que l'existence ralentit son cours quand la beauté croise mon chemin : on ne peut rien pour autrui sinon l'arracher au quotidien (je suis, donc tu bandes) et dans mon carnet d'adresses pullulent prénoms et numéros.

Si je me souviens bien, j'étais attablé un peu somnolent (dans un petit café tout lilas sis rue de l'Ancienne-Comédie) et son bagou commençait à me les casser quand deux mecs sont apparus dans l'embrasure de la porte — le plus jeune était si foudroyant que la pensée d'étrangler Didier (un intello aussi laid que bel esprit) m'a effleuré. D'une oreille j'écoute son baratin et du coin de l'œil je surveille l'Autre : jusqu'à ce que hors de moi je vide mon verre en suggérant de rentrer.

Je n'avais pas la forme mais il en faisait une maladie et je n'aime pas dire non, sans compter que le plaisir à froid est un bon maître (Tu le veux mon sésame, alors suce-le bien) — les souvenirs font boule de neige, à peine en tire-t-on un des limbes que tout un essaim s'envole dans le sillage d'une image (comme une myriade de sangsues attirées par la chair fraîche). En voici un autre que j'extirpe de mon chapeau estudiantin : c'est un chaud lapin tout bronzé et la tortue Faribole se doit d'engager la course.

Il devait être *'round midnight* le long du boul'Mich lorsque j'ai perçu une voix mélodieuse (J'ai l'impression de te connaître depuis toujours) en train de roucouler des mots doux à une catin qui avait du chien : le Survenant se pavanait sur ses ergots tout en truffant ses propos d'œillades à la cow-boy au coin du feu — puis il a emprunté le masque d'un sultan sur le point de se mettre à poil devant son harem et il lui a récité tout le répertoire avec l'accent radio-canadien (Avec toi je retrouve l'innocence des choses et ma vie en est changée).

Il avait dû repêcher cette nénette de luxe dans quelque antichambre et non content de la couvrir d'inepties (Tu as ravivé en moi une flamme qui sommeillait) il faisait mousser des clichés de carte postale : le bleu du ciel, le chant des cigales dans les oliviers poussiéreux, les barques impressionnistes et autres poéticailleries de fond de tiroir — cette houri l'excitait à mort et il était transcendé par l'ambition de rivaliser avec Elsaragon dans l'art de la surenchère (Viens en Grèce avec moi pour y goûter l'amour fou).

Il ne manquait pas de doigté ce rigolo (J't'aime j'te veux) et savourait d'avance les fragrances d'une figue juteuse sur le point de succomber. Les cuisses entrouvertes et le sein papillonnant, Angélina en bave d'émerveillement et se trémousse sur sa chaise en mouillant fort pour cette idole adulée. Dédé et moi avions de la peine à ne pas pouffer — c'était vraiment le pied que d'écluser aux frais d'un don Juan en rut désirant épater une belle âme sœur pâmée à Paris au mois d'août.

Les jolis tourtereaux se sont fondus dans la nuit — et Dédé (tout rationnel qu'il était) a parié dix mille balles que la nana ne tomberait pas dans un panneau aussi gros. Perspicace comme un chameau flairant la verdure d'une oasis, je le relance à cent contre un : alléguant que l'attrait de vacances gratuites avec ce pantin flamboyant emportera tous les scrupules de la dive comédiane et qu'elle se fera tringler au son du bouzouki dans un studio lumineux de Santorini.

(Ils sont crampants les hétéros — vaseux et chanteurs de pomme, ils débitent des craques à la tonne et n'arrivent pas à regarder une fille en pleine face en lui avouant Ton cul me rend fou. Or une plotte bien roulée est bon gré mal gré proche de la putain, mais sachant fort bien qu'un tas de mâles veulent la planter elle ne se livre qu'au plus convaincant : c'est-à-dire au plus offrant.)

Le sexe n'est pas le fin mot de l'histoire mais tout passe par lui : la conscience de notre condition, la perception du silence, l'intuition du temps et de l'instant. Et une partie de fesses (tel un parfum répandu dans l'air que je respire à pleins poumons) m'en apprend autant sur l'Homme qu'un traité de psychologie. Je n'ai jamais embrassé de buts élevés ni d'idéaux inspirés et la plénitude du désir a été jusqu'à maintenant mon unique souci — j'ai tant roulé ma peau que je n'ai pas eu le loisir de m'intéresser au sort de l'humanité ou à celui des gorilles.

J'aurais aimé être peintre ou musicien (m'exprimer par les formes ou par les rythmes) mais seule la beauté m'a été échue en partage et j'ai rencontré le plaisir à jamais infidèle à lui-même. Diva de la bagatelle je suis tout gars (alias mamours délices et orgies) et les rencontres de fortune m'électrisent : cette chevauchée tous azimuts repartant quotidiennement de zéro — la jouissance on the rocks qui déploie ses oriflammes sans avoir besoin du baptême des sentiments.

J'ai préféré les feux de paille aux épanchements éternels : ils étaient légion les samouraïs qui en avaient ras le bol de la sujétion à l'amour-toujours et qui aspiraient à la démesure au jour le jour. Oui j'ai mûri à l'ombre des garçons en fleurs car à une époque où les jardiniers ne cultivaient pas encore les fleurs du mal le poète a lancé Cueillez la rose — tu bandes, donc je suis et ils m'émeuvent les cœurs volages qui font fi des ronces, les corps sans frein qui s'acheminent vers le néant comme des feuilles balayées par le vent.

Les conformistes prisent les idées claires et distinctes (je pense comme tout le monde, donc je suis) — ainsi des soupirants et des flâneurs pour qui le plaisir n'est qu'un répit pépère ou une pause publicitaire au milieu des affres de la réflexion : un peu de morve obéissant aux lois du frottement, une corvée accomplie à toute pompe pour se détendre les nerfs. Pratiquant un carpe diem de mon cru, j'ai fait des pieds et des mains pour convertir le désir en un art de vivre.

Comme ce fils à papa de Nob Hill (Sandy je crois) qui prisait avant tout le raffinement : vins millésimés, fringues de luxe, coke et musique à profusion. Il s'en mettait plein les sens et ses dadas n'avaient rien d'exorbitant. Maharajah mandarin vizir, gaucho ou pacha, pirate shérif et autres lubies — il raffole de travestissements haut de gamme et lorsqu'il lèche mes bottes de motard en cuir de serpent il recrée son paradis perdu.

J'ai patiné sur le miroir des apparences telle une libellule en vacances au pays des fourmis. Je mène-mène une vie débridée et les mâles me le rendent bien (qui n'en ont jamais assez de préludes et de nocturnes). Je n'ai qu'une seule corde à mon arc et je cueille toutes les pommes avides d'être croquées — je suis Gaétan tel quel : un prince charmeur égaré dans une jungle de Beaux au bois dormant.

Je ne suis qu'un Ali Baba voleur de baisers (un romanichel qui va chassant-croisant) et je parle à l'emporte-pièce sans me mordre la langue au sang. Les artistes follamourent sans inspiration et s'imaginent se grandir en s'assignant la tâche d'embellir la trivialité de la vie.

D'où j'en déduis que le désir a ses raisons que l'art ignore — la chair possède son propre vocabulaire et elle n'a aucun besoin de la littérature.

Si je n'ai pas scribouillé plus tôt (il y a tant de corps à découvrir et si peu d'hommes prêts à tout pour savoir) c'est que j'ai trop souvent soufflé l'ébauche de mes poèmes dans l'oreille de mes potes : des alléluias exubérants, des hymnes tout fous tout doux, des cantiques sans rime ni frime — oui Alain se refusait à établir une distinction entre peindre et baiser (Le sexe, c'est l'action painting à la portée de tous et la peinture une bacchanale qui vire au happening) et si jamais il me lit mes brins de parodie ne sauront l'offusquer.

Il concevait son œuvre comme un dialogue entre l'œil et la lumière (La ronde des architectures et des masses, la violence et le silence du geste créent un réseau de correspondances obscures). Ne sachant trop où s'arrête la toile et où commence la peau, je lui ai coupé la parole pour le sucer (je suis un voyeur qui revient sur les lieux de ses fredaines) — salut Alain mais dis-moi, est-ce que je survis quelque part en toi : ne serait-ce que dans une encoignure de ton atelier, ou dans la luminosité d'une arabesque sur ce tableau inachevé *Gaétan de pluie.*

Je me souviens (comment apprivoiser un rêve pinçant les cordes de l'aube) d'un Frisbee encastré entre les cornes d'un buffle, d'une poule picorant le faciès d'une momie, d'une chapelle ardente hantée par des lamentations : Mozart fugue en duo avec Guy. J'égorge un croque-mort en train de haranguer une foule en liesse, puis j'exhibe à bout de bras la coupe Stanley toute peinturlurée — avant de chavirer dans les remous d'une musique en chair et en os.

Un travesti se dandine sur une scène tout en oignant ses deux appareils génitaux (l'un dans la rosace du nombril et l'autre pendouillant sous le coccyx) d'un onguent miton mitaine. Fabien y va d'un blues et se contorsionne sous une lumière crue qui embrase son trou du cul. La pastille Life Saver de l'anus se contracte et se distend à gogo : tant et si bien que je pourrais m'y engouffrer (comme à travers un hublot). Entre deux sanglots je balbutie je ne sais trop quelle absurdité — et je me suis réveillé en larmes au son d'une sirène de pompiers.

À cloche-pied sur la frontière entre les corps célestes et terrestres je vais mon petit bonhomme de chemin : j'ai plusieurs vies et c'est en gay que je veux toutes les vivre. Je m'abandonne aux mots qui tournoient en moi (comme le glaive au jardin des Oliviers) ou bourdonnent dans ma tête telles des mannes autour d'une ampoule en plein cœur de l'été — le déclic tique, les médicaments y sont peut-être pour quelque chose et vive la chimie.

Je ne connais pas ton nom et à l'ombre d'un chêne millénaire sur le rivage de l'enfance nous mangeons des glands à profusion (je suis là pour la nuit comme pour toujours) et il nous appartient d'abolir ce qui désunit. Je fouille en toi afin de mettre à jour la statue de bronze que j'y entends gémir : l'aurore approche, célébrons-la à coups de tendresses vertigineuses — attentifs à ces heures où les lames de fond viennent se briser contre le jour naissant.

Oui tu trouveras un gîte au creux de mes lombes : mon cul comme verre à boire et tu y plantes la langue avant de m'enfiler (ta pine telle la houlette du berger, mes fesses comme du pain béni). Tu t'emmanches, tu me laboures et t'incrustes, tu te sèmes en moi au rythme d'un troupeau de bisons traversant la plaine sur les sabots du vent. Tu es une comète sidérée, la queue à fleur de peau et le foutre à la bonne place (on the rocks j'ai dit) — tu reviens d'une lointaine nébuleuse et il y a du flou dans tes yeux.

L'accord à corps règne (souverain et transparent) et j'ai rarement été à ce point moi-même : je te suis et tu m'es à en perdre la boule jusqu'à la consommation des temps. Sur le tapis de ton souffle je vogue et m'égare dans les grands espaces glissants étoilés d'évidences — soudain les gouttes de bruit dégoulinant du mur me chatouillent la plante des pieds et le réel me saute dessus à bouche décousue.

Il m'est apparu comme ça après des heures passées à pester contre les médecins qui refusent de parapher mon avis de congé. Antoine était marié depuis six ou sept ans et donc comme plusieurs époux il rongeait son frein et les barreaux de sa cage itou. Sa fée au logis ne faisait pas folie de son corps et elle était plutôt portée sur la migraine — adieu feux rampants et flûte de pan, la famille forme la pierre angulaire de la société et passons (mon surchéri) à d'autres jeux : l'éducation des enfants, le film dont tout le monde parle et les micmacs farcis de babebibobulles.

Or les libidoudoux veulent s'amuser comme des petits fous (du roi Dagobar) et ne pas avoir de comptes à rendre à maman : acculé au mur et incapable de faire une croix sur la fesse, Antoine s'était à bras raccourcis jeté sur les garçons-de-nuit et taïaut tayaut vogue la galère. Sa Juliette est aux anges car son nounours enfin assagi raffole moins de la chose, il est tout sucre avec les gosses et lui offre même à l'occasion des

fleurs ou des pralines — quand il vient de goûter à la médecine d'un amant bien monté.

Il se disait prêt à recommencer à neuf pour
être tout à moi (il en avait vraiment jusque-là
des façons de sa dame). Il se voyait déjà dans
mon lit jusqu'à son dernier soupir et j'avais
envie de me bidonner : les ménages gay m'as-
somment autant que les hétéro. Ils appellent ça
l'amour (le sexe domestiqué) l'ennui partagé et
leurs infidélités à la chaîne et la nostalgie de la
poire coupée en deux — le couple est un mythe
qui ne tient pas la route et d'instinct j'ai misé
sur le multiple.

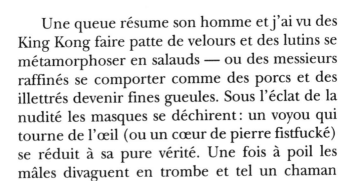

Une queue résume son homme et j'ai vu des
King Kong faire patte de velours et des lutins se
métamorphoser en salauds — ou des messieurs
raffinés se comporter comme des porcs et des
illettrés devenir fines gueules. Sous l'éclat de la
nudité les masques se déchirent : un voyou qui
tourne de l'œil (ou un cœur de pierre fistfucké)
se réduit à sa pure vérité. Une fois à poil les
mâles divaguent en trombe et tel un chaman
captivé par la nuit j'ai marché sur les braises.

(Mais c'est quoi le plaisir : sinon la lyre des
sens niant le temps par le délire. Sinon un tapis
de prière et un art de respirer. Sinon une parti-

tion aux variations infinies qu'il suffit de bien jouer pour être entraîné au delà des ritournelles de l'harmonie. Et la chair n'est-elle pas une corne d'abondance — l'hallali et la caisse de résonance de l'instant qui loue la création ou bave dessus.)

Oui j'ai préféré le sexe on the rocks (corsaire en maraude de par des océans mugissants) — car je ne sais trop pourquoi je suis venu au monde, l'existence n'est qu'une chimère chamarrée et l'amour une imposture. J'ai écumé la haute mer du désir et je me suis livré à ses vagues comme un chercheur de perles à l'ivresse des grands fonds : trois mille mecs valent mieux qu'un et à force de fréquenter mes frères de foutre mes yeux se sont dessillés.

Dans le brouillard du désir (je languissais après un messie à ma merci) je le voyais déjà s'avancer vers moi — et tant pis si les histoires d'adolescent meaulniaque avec le diable au corps n'ont plus l'attrait d'antan. Certains flashes m'indiquaient vaguement la voie et je quêtais l'amour en narguant les chiens qui grognaient pour m'apeurer. Mes flèches le transperçaient et je rêvais à lui comme je respirais : ses dents miroitent, nous discutons à la bonne franquette et sa présence m'enjôle au gré du ressac de ses confidences (tant et si bien qu'au réveil je me sentais aussi seul qu'un sapin au fond de la mer).

Ma discothèque était mince mais de connivence avec les ténèbres et étendu sur le lit (comme une momie en attente d'un prince charmant) je me suis souvent abreuvé des accents terraqués de Coltrane. Je l'imagine à mes côtés : sa peau surtout sa peau, ses fesses ou ses yeux et aussi (tapi dans l'ombre tel un secret partagé dont l'écho m'arrive de loin) cet homoncule aux abois qui sous la douche se love dans ma main. Or les préludes qui se pianotent en sourdine restent souvent sans réponse — Guy n'a pas osé se déshabiller et se laisser caresser.

Je tourne un bouton et Miles Davis guide ma caravane de par les pistes poussiéreuses du désert : m'en suis allé au coucher du soleil en Tunisie (sa trompette pousse à l'évasion) puis une averse de fraîcheur m'a lavé des souillures du jour et j'ai monté ma tente dans une oasis surpeuplée de hiboux verdoyants. Blotti dans la corolle de la mélodie j'aborde une contrée sans frontières et je veille sur l'opaque révélation qui m'envahit — je flotte sur un étang bleuâtre tel un nénuphar envoûté par le chant des ouaouarons.

Stan Getz bossanove les joues gonflées et je batifole au rythme des hommages ipanimés attisant les girandoles de mon bivouac — dans les champs de coton je fredonne des gospels (*The Hoochie Coochie Man* se cogne dans le noir et mon âme se soûle de blues) ou je joue cool dans des boîtes enfumées et quand je suis gonflé à bloc je relance Wes Montgomery avec un manche à balai ou je free-jazze à pleine gomme dans le cortège d'Archie Shepp : je suis un hippocampe primesautier qui baigne dans les eaux lustrales de la musique avant tout.

Sonores elles ont été mes nuits de grâces : dans la mouvance sauvage du dedans je me sens un géant et bercé par le remous des arpèges j'improvise de folles rengaines (trombone éperdu dans un big-band) exaltant la furie dans des registres inédits. À l'aube un lit m'accueillait et je me roulais dans une avalanche de rêves dérobés à d'autres mondes. Toutes les ziziques sont miennes et évoquent mes origines — leurs fragrances proviennent de l'air du temps où déconcerté je cherchais la note sans savoir encore à quel instrument m'accorder.

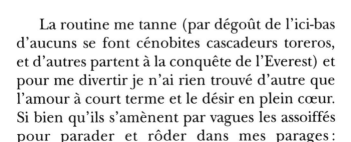

La routine me tanne (par dégoût de l'ici-bas d'aucuns se font cénobites cascadeurs toreros, et d'autres partent à la conquête de l'Everest) et pour me divertir je n'ai rien trouvé d'autre que l'amour à court terme et le désir en plein cœur. Si bien qu'ils s'amènent par vagues les assoiffés pour parader et rôder dans mes parages :

armoires à glace et escogriffes, athlètes et intellos, bluffeurs et rêveurs — j'aime les culs qui coulent de source et le temps de vider un verre je repère les oiseaux rares parmi les beaux parleurs.

Dans la pénombre de bars choisis ils voltigent à l'envi et d'une ville à l'autre je fais la navette — tous les pierrots obsédés par la cocagne du sexe (de l'or dans les cheveux et le soleil aux fesses) me content fleurette et entre mes mains se muent en totems. Le plaisir est rond comme la lune et en bout de course il se fait étoile filante : je suis un romantique radical (bingo) qui n'est ému que par la chair en transe.

J'adore les corps, pareil à ce fou de Dieu hypnotisé par les splendeurs de la nature (ou à un derviche hors de soi). Il faut entretenir au moins une passion afin de tenir le coup — or les esprits mâlins se morfondent tels des larrons en instance de séduire le Chrisse ou brûlent de s'anéantir dans les bras du premier manant venu : pour les racheter je me suis fait homme. Ma voie est toute tracée et je ne désespère pas d'enculer l'homme des Neiges au sommet de l'Himalaya.

Paul-Marie (ah ces flashes s'engendrant à partir du Rien) se payait à chaque trimestre une épicure de jouvence en tombant sous la coupe d'un chouchou : il s'accroupit, m'introduit en lui et me chevauche. La durée se condense comme lorsque j'écoute de la musique à plein volume — ses coups de reins le transfigurent et telle une pirogue de nacre je tangue et je vogue et je vole au gré des étoiles de mer pourpres tourbillonnant dans mes entrailles.

Je jouis secoué de spasmes qui me laissent transi des oreilles aux orteils — puis il s'allonge à mes côtés pour explorer mes traits du bout des doigts. Il a mordillé un coin de mon âme et s'est noyé dans mon visage : il me chuchote que je suis superbe et que pendant les cours toutes ses paroles me sont destinées. J'ai souri sans oser lui avouer que la philo me semble une perte de temps amusante (et quelle belle note j'ai décrochée).

Je me rappelle son regard de taupe — je me souviens aussi d'un appartement en désordre et d'une pièce remplie de livres du plancher au plafond. J'allais en croiser d'autres de cette trempe : dévoreurs de bouquins et de quéquettes, fervents de nus et de tous venants, enculeurs de maringouins et de serins. Les fanatiques du texte (étourdis par les codes et accablés de tropismes) ne dédaignent pas de faire l'école buissonnière et de se rouler dans le sable des sens.

La vie est courte et j'ai laissé les problèmes insolubles ainsi que les grandes questions aux amateurs de poils en quatre, me contentant de

folâtrer dans la culture gay comme un sperma-
tozozo dans le foutre. Le pommier ne cogite ni
sur sa floraison ni sur la versatilité des saisons : je
n'ai jamais tenté de justifier pourquoi tant de
mecs me font bander. Les grosses têtes (et les
esthètes) prennent de temps à autre congé de
leur corps — moi j'aime sucer le sexe des anges
déchus et j'accorde peu de crédit à ce que je
pense.

À la démence et à l'insignifiance du quotidien j'oppose la gratuité des actes sans lendemain. Le plaisir est un maître jaloux et le dia-
dème dont je l'ai paré change chaque nuit de
sujets. Désirer quelqu'un, c'est le mettre sur un
piédestal et s'extasier à fond : à la fois cool et
saisi aux tripes (comme un coq bombant le
torse à la face du soleil). Pour connaître mes
semblables il m'a de toute antiquité fallu les
empoigner par la queue — et les boire au creux
de mes paumes tel un chameau se désaltérant
dans la quiétude d'un caravansérail.

Il ne me déplairait pas de transformer ma vie
en une œuvre d'art dénuée de tout message :
une aventure sans foi ni loi, un happening se
vidant de son sens au fur et à mesure de son
flamboiement (car la rose fleurit et embaume

en vain). Et je revois mémère qui attendait sa fin en récitant le rosaire dans une odeur d'urine et d'escarres. Je ne souffrirai pas de dépérir à petit feu et je me ferai hara-kiri vers l'âge de cinquante soixante ans — rien ne sert de pourrir il faut mourir à point.

Car pourquoi s'accommoder d'aumônes, comment demeurer le témoin tranquille du carnage opéré sur les corps, dans quel but me survivre (j'ai grandi à Châteauguay) lorsque je ne serai plus qu'une picouille traînant derrière soi toute une cargaison d'infirmités et de bobos : un vieux schnoque affligé d'une nonouille ratatinée — un rescapé des jours qui n'a d'autre agrément que de s'emplir la panse en ressassant de pâles souvenirs.

Les affligés de la Cité-U n'y allaient pas avec le dos de la cuillère : flop une carcasse s'écrasait pouding sur le ciment ou merdalor embaumait furtivement tout un étage (la chute libre et les somnifères se révélant être les moyens de prédilection) — pin-pon bin-bon une ambulance fonce vers les lieux du destin sur les chapeaux de roue et un cadavre (en pièces détachées ou déjà grouillant de vers) démarre couci-couça pour Ailleurs.

Elle s'appelait Maggie Dunn cette Amerlote délurée équipée d'une dentition palmolive et d'astronomiques mamelles. Elle pétait la joie de vivre (les babines toujours fendues jusqu'aux oreilles) et séjournait à Paris afin d'échapper à la démence de sa patrie. Elle s'était inscrite en anthropo la Maggie et pour mieux analyser le milieu cette sirène s'était mis en tête de baiser avec tout le corps étudiant et professoral — costauds et échalas de tout acabit, bellâtres ou pouilleux ramassés de droite et de gauche : elle jouait le grand jeu dans la frénésie.

Désirait-elle épingler un grand zoizeau à son tableau de chasse (ou tout simplement me convertir) toujours est-il qu'un soir où j'étais éméché elle m'a sauté dessus en rugissant. Ô horreur, que faire de toutes ces rondeurs et de cet oursin épineux (est-ce cela la beauté) — deux pis bêlant comme des chevreaux et une croupe de jument. J'ai en cinq sec tourné casaque : un grand garçon bien frais m'apparaît plus appétissant qu'une Vénus callipyge au trou gluant.

Donc c'est un dimanche soir et le téléphone n'a pas dérougi du week-end (toute la planète veut planer avec Maggie la francochonne) — or vers sept ou huit heures un type s'est pointé alors que j'étais en passe de casser la croûte. La rumeur selon laquelle Baby Love faisait maintenant le trottoir rue Saint-Denis l'aurait consterné : mais je le préviens qu'il exhibe une gueule de maquereau au bord d'une chaude-pisse. Il frappe, tripote la poignée et pénètre dans le Saint des lupanars — pour en moins de deux débarrasser le plancher en bredouillant Il faut vite avertir un toubib tout de suite.

Je me suis empressé d'aller vérifier dans quelle position Lady Swing Swap était coincée : elle râlait en douce et gisait nue sous la fenêtre (les yeux glauques et la poitrine souillée de mucosités). Médusée par le rictus de l'au-delà Maggie avait cru ramper vers le seuil et s'était laissé attirer par la transparence de l'air ou du verre. Un remugle acidulé de vomi flottait dans la pièce et je me suis empli les narines de l'odeur de la Camarde — tout en louchant vers la bouteille de sauternes contre laquelle une missive bâillait.

Je l'ai déposée sur le lit, puis lavée et revêtue de son peignoir. Aussitôt que les infirmiers l'eurent escamotée j'ai parcouru cette lettre morte — je m'attendais à des aveux portant le sceau de la Cric-Crac-Croqueuse et me suis gavé d'hystoires de fesses. Ses reins de bonne pouliche s'étant ri du punch de barbituriques je lui ai payé une visite à l'hosto (dans la section psychiatrique hosanna) — mais elle semblait avoir oublié qu'une fin de semaine plus tôt elle avait joué son va-tout dans le but d'aviser les mâles qu'ils manquent de doigté et de langue de chatte.

(Mais à quoi bon remuer ciel et terre : ai-je peur de me frotter le front avec le vinaigre du silence. Les mots sont des trompes de brume qui perturbent les couleurs de la mémoire — je me suis délecté des vertus de l'instant, qui du haut de sa fragilité cristalline en souriant confesse Je suis. Il semble bien que la chair soit le

lieu de quelques désordres et de toutes les cala-
mités.)

Dans cette chambre de misère (l'hôpital
devient vite une maison close où un mal timide
reprend du poil de la bête) je me chatouille la
cervelle avec la pointe de l'écriture et je tente
de donner à mon histoire poids et consistance
en y greffant quelques fragments. Cette entreprise se révèle factice et son produit frelaté : le
langage (une forme arbitraire fécondée par une
décharge de stimuli) ne peut jeter qu'une
lumière trompeuse (ou carrément fictive) sur
mon passé abracadabraque — peut-être verrai-
je plus clair lorsque je sortirai d'ici.

Rien ne rime à rien (c'est ça l'imma-
nence) — un cri c'est la vie et un corps c'est la
mort, entre le premier vagissement et le dernier
râle il n'y a qu'un soupir et devant le miroir du
désir je me suis mis en jeu. Les bars fourmillent
d'hurluberlus et ma gayté s'est frottée au grand
nombre anonyme. Je ne sais si la liberté existe
(j'en doute fort et pourtant je fais comme si) et
à force de grimper à l'arbre des sens je me suis
arraché à ce bas monde : dans la frondaison du
plaisir tel l'aigle porté par le vent je plane très
haut.

Le sexe est l'aimant autour duquel toute la limaille de mes jours s'est concentrée : le noyau autour duquel je me suis multiplié. Il a été ma réponse toute fête (la boussole me faisant perdre le nord) et en dehors de lui je ne sais qui je suis. Les mots sentent la morgue et j'ai beau en accumuler à la pelle ce fouillis m'amuse sans me convaincre. Il me faut vite guérir et déguerpir avant que je n'en vienne à les prendre au sérieux. Je cherche un fil conducteur mais en fin de compte vivre se résume à peu de chose — tout un chacun essaie de sauver sa peau et soigne sa maladie d'exister.

II

Les eaux

D'où viens-tu vipère zigzaguant sur le sentier des mutations au gré des coups de dés. Mais que suis-je : un loup doux comme un enfaon, une poubelle débordante de rebuts (un point d'interrogation comprimé dans le soupir d'une parenthèse) — un peu de matière de toutes les couleurs prise au piège de l'incarnation. Et où vas-tu ver sapiens condamné à bredouiller avant d'être effacé telle l'encre qui sèche sur ce cahier.

J'ai été modelé avec les scories de la Voie lactée — et chassé du paradis lorsqu'au clair de la lune j'ai joué au docteur dans les buissons avec mon ami Pierrot. J'ai chu dans les eaux amniotiques de la mer et j'y ai fœtalement mariné pendant des millions de générations : sur les murs de ma caverne s'agitent quelques ombres et je tiens à durer (quelques années encore) jusqu'au bout de mon rouleau de gaze.

Les volutes et méandres d'une existence s'entrelacent et finissent par s'organiser en figures : les chérubins de l'enfance aux ailes soyeuses et les poings rebelles de la jeunesse, les gueules sublimes d'autrefois et les évocations de cette nuit, les images triées par la mémoire et les paroles sauvées du déluge. Ces fragments forment un puzzle discontinu découpé à même toutes mes dérives — et je m'adapte à cette chambre comme une gazelle à la routine d'un zoo.

Le Rossignol a chanté sous sa fenêtre afin de l'inciter à convoler en justes noces avec la fille du voisin. Pierre à Joseph s'est rué sans prendre le temps de se dévêtir de son bel habit neuf — ni même de dénouer sa cravate. Il l'a labourée sa jeune épouse : il lui a fouetté les sangs, il a planté sa semence en son sillon et s'est assoupi. Elle a versé une larme amère, marmonné une prière à la Vierge Marie et fait un signe de croix en baisant son scapulaire.

Éperonné par les ronflements qui se mêlent aux grincements du sommier, j'écarte les millions de zigotos qui entravent ma course : je rampe prestissimo et jouant de la flagelle comme un possédé je bute contre un ovule qui m'avale. À peine m'y suis-je à la sauvette confectionné un nid que je capte une voix qui roucoule *À la claire fontaine m'en allant promener* — telle une épave engloutie par les eaux je sombre dans le sommeil des grands fonds.

Je me sens rudement bien dans le ventre de la Baleine : elle dispose d'un téléphone dernier cri et si je veux me rassasier je n'ai qu'à sucer mon pouce. La musique des sphères (beuglemois hennissemeux coassemats caquètus miaulous gazouillelles jappemots) m'inspire à satiété et pour bien marquer mon désir de me fondre en elle à jamais je scande la mesure avec mes pieds — et déjà la Marmotte me suggère de m'incruster là tout au chaud jusqu'à la fin des temps.

Par un beau matin le bœuf a raclé le sol avec son sabot et le coq coqueriqué Que la lumière soit. Puis une chauve-souris s'est écrasée contre la panse de Madeleine en sifflant Allez oust ma crotte : elle s'est allongée et en hurlant comme une sauvage elle a vêlé au rythme des bravos du troupeau aux pis gonflés. Je suis tombé dans la paille — et affolés par la volée de jurons lâchés par papa plusieurs saints du ciel envahissent l'étable en vue de bouffer l'arrière-faix.

Je suis langue et bouche (œil-dodo aussi et bébé béat en tous sens) — étant et tétant je suis celui qui est en se faisant chair et un. Je me gave de lait et je chie, si bien que maman est aux anges quand elle lave mes langes et moi je bave lorsqu'elle oint mon zizi. Et si mon oreille s'englue dans le magma du monde (il n'était besoin d'aucune parenthèse pour justifier les jacassements du Narrateur au-dessus des fonts baptismaux) la fée Tétine vient à ma rescousse : oui je suis le divin enfant qui avide de boire tout son saoul ne voit pas le bout de son nez.

(J'ai conquis les siècles pour aboutir ici : blême sous un drap rêche, secoué par la diarrhée et selon les heures aussi soumis ou rageur qu'un chêne tordu par l'orage. Je suis le prince de la nuit et je m'obstine à vider la coupe en attendant que les médicastres devant mon cas s'écrient Eurêka. J'abreuve Sony de bibine — et j'assigne aux infirmières empressées d'adoucir les affres de ma rechute le rôle de muses ou de Marie-Madeleine.)

Je grandis sous la protection de Jojo qui en dépit des rebuffades encore et toujours pourchasse hérissons et mouffettes : je suis, donc je m'imprègne. Elle tient mordicus à renifler les poteaux ou à explorer les buissons pendant que je surveille le bouchon de liège ballotté par les eaux — j'appâte maintenant des anguilles autrement gluantes, jetant la ligne dans les affluents de la souvenance pour en retirer des ombres frétillantes que je fais frire dans le beurre des phrases (ou peut-être quelque martin-pêcheur en me léguant son bec m'a-t-il initié à l'art de transformer en gibier le menu fretin).

Chaussé de mes bottines j'arpentais la terre en écrasant du pied mulots et chenilles. Me gorger de fraises des bois et gratter jusqu'au sang ma peau mangée d'herbe à puces me paraissaient des gestes inhérents à ma condition. Autour de moi l'on meurt comme des mouches (les poissons et les cochons, les souris et les fourmis, les grenouilles et les quenouilles et même les pommiers s'en vont en fumée) — et je traverse les saisons monté sur le dos des veaux gras ou perché dans la ramure des ormes : le langage des animaux et le duvet des oisillons me sont une promesse d'harmonie.

Les vocables (ils vibraient contre le tympan ou pétillaient sous la voûte palatine) ne signifiaient rien de plus que le bzzz-bzzz des abeilles — ils sont mélangés à ma salive ou gisent sur le bout de ma langue et pour baptiser un objet je n'ai qu'à le pointer du doigt. Je suis un prince curieux et mes questions obtiennent souvent une réponse : il faut se taire lorsque les vieux ont la bouche pleine de mottes et un enfant de chienne descend en droite ligne d'une lointaine constellation. Je règne sur une contrée sans bornes, j'ai toute la vie devant moi et je suis immortel.

(Un plumitif n'est peut-être qu'un jean-foutre cherchant ses mots — ou un Gros-Gaétan comme devant consterné par tous les marmots qui musardent en lui. Et s'il peut gribouiller, c'est qu'en son for intérieur un ventriloque fort en gueule en vient à occuper tout le terrain : ayant évincé les orphelins de sa préhistoire il encense les quelques frères de lait qui flattent l'enfantaisie de son cœur et de ses larmes.)

L'enfantement a été difficile et j'ai accueilli ma gayté comme une délivrance. Je me suis toujours interdit de croupir dans l'amertume — ou de me convertir en un dandy malingre et pleurnichard blotti sous les jupes de sa piteuse histoire. Païen jusqu'au bout des ongles (et tablant sur la bonne aventure) je me suis installé dans l'antre du désir : oui je me suis lancé dans le plaisir à l'aveuglette et tel un léopard affamé de proies j'ai parcouru les sentiers de la nuit.

J'ai imité (pourchassant une lune de miel à ma démesure) les funambules qui préfèrent la beauté du risque à la sécurité des chemins battus. Je suis allé de l'avant mains dans les poches et queue en bandoulière — les mâles ont fouetté mon imagination et j'ai lié mon sort à la prunelle de leurs yeux. En leur compagnie j'ai exploré et colorié le Nouveau Monde du sexe : les corps m'ont subjugué et ceux-là par-dessus tout qui venaient juste d'être chassés du paradis.

Elle courait à bride abattue la mort (sabots de feu et naseaux écumants) — elle s'était travestie en taureau et voulait ma peau pour un sacrifice expiatoire au milieu de la luzerne et des bouses. Les jambes à mon cou je détale de toute l'agilité de mes blancs mollets et vole vers la clôture en bois séparant les plaisirs en plein soleil de l'immolation à coups de cornes. Une fois en sécurité j'ai perçu ses râlements : là tout près par-dessus le halètement de mon souffle entremêlé aux stridulations des cigales dans les trembles.

Or il faut prendre la vengeance par le manche et papa lève bien haut la massue afin de l'expédier ad patres : il s'effondre (le beu qui beugle) et renâcle les quatre fers en l'air. Jamais plus il ne grimpera sur le dos des vaches — l'œil hagard il frémit bave gigote, mononke William se gratte l'entrejambes et il l'égorge d'un coup sec en débitant des histoires cochonnes qui font rire tout le monde. Le sang gicle à gros bouillons et maman le recueille dans un seau tandis que je me réjouis d'avance du bon boudin qui m'est promis.

(Dans mon pays de Canaan j'étais un prince farouche et Jojo un puma radieux se prélassant à l'ombre de l'arbre de l'insouciance. En attendant de recouvrer la santé, je préfère les pommes dans le fourneau de la souvenance aux fruits dans les branches — mes moutons somnolent dans les pacages et installé derrière le rouet de mon texte je cherche à carder l'écheveau effiloché de ma destinée. J'ai les genoux en laine et j'évoque ce garnement à rebrousse-poil : sur la trame d'Antan je me tricote une histoire pleine de trous.)

Dans laquelle je retrouve aussi l'appel déchirant voilant le regard de la chatte : elle miaule et chie sous elle en essayant de soulever son arrière-train brisé. Je pleurniche en sourdine, papa ricane et il s'empare d'une fourche pour l'achever. L'empoignant par la queue je l'ai projetée dans les eaux, puis l'âme rongée par le remords je me suis allongé sous le noyer — lequel flotte encore dans mes rêves (au fil de mes humeurs) comme autrefois il se balançait à tous les vents.

L'horloge égrène son tic-tac toutes saisons et pour saluer l'avance de la brunante elle marque le coup à intervalles réguliers. Je tends l'oreille afin de mieux écouter le coucou qui coucoule une ou deux fois hou-hou — et réfugié sous l'édredon dans ma caverne je compte sur le bout de mes doigts jusqu'à dix : me demandant selon quelles lois les hirondelles s'orientent dans la noirceur et par quelle science elles prédisent la température.

Soudain les ouaouarons entonnent une sérénade qui interpelle le silence tel un message dans une bouteille. Camouflés dans les roseaux ils parlent à la cantonade et égaient les esprits bien tournés — ils prient tout haut et leur complainte qui n'en finit plus de s'étirer semble cousue au tissu même des ténèbres : mais je devine en tentant de la faire mienne (*Il y a long-*

temps que je t'aime, jamais je ne t'oublierai) que ces soupirs de solitude sourdent de leurs entrailles.

Ils piquent des louanges dans le filigrane de ma veille et je me love dans cette berceuse ainsi qu'une puce dans la fourrure d'un mammouth. Je résiste au sommeil, même si mon ange gardien bourre mes orbites d'un duvet laineux — une telle rengaine (répétée en écho depuis le fond des âges) conjure le sort et exacerbe les démons qui les guettent. La Sonnawaclone les épie mais ils se jouent de ses pièges par la diversion d'une litanie : antienne rauque et caressante comme la plainte d'un violoncelle au creux d'une fosse de velours.

Ivres de leur mélopée, ils me racontent des historiettes ancrées dans cette ère révolue où la planète formait encore un vaste océan qu'ils ont les premiers quitté (après le retrait des eaux) pour s'aventurer dans la vase — ils se remémorent la chute d'un astre éperdu qui par amour pour les hommes s'est fait étoile de mer, ils retracent les combats titanesques entre les centaures et le soleil, ils me résument l'épopée burlesque mise en scène par un couple de gorilles fourvoyé dans la jungle. Ils s'épanchent et m'entretiennent de notre âme commune : si bien que je lâche un pet en signe d'acquiescement.

Recroquevillé sur le blanc coussin de leur ventre crémeux je buvais leurs paroles (quoique j'ignorais encore tout du Dasein) — plutôt que de gueuler ils psalmodient et depuis les temps antédiluviens une même ritournelle leur suffit pour se vider de leur nostalgie. En meuglant ils rendent hommage à la lune et tissent au cœur de l'invisible des résonances obscures : leur gravité me ravit et la grâce opalescente dans laquelle je baigne est distillée avec les sucs d'une sagesse millénaire.

Étendu sur le matelas (Morphée s'est éloigné en compagnie d'une nymphe) je suis tout ouïe et ils poursuivent leur concert pour moi seul qui n'ai jamais songé à leur arracher les pattes ou à remplir leurs tripes de fumée — moi aussi j'étais aux yeux du bœuf un souriceau voué aux cornes de l'extermination et dans mon lit roulis-roulant comme dans une chaloupe portée par les flots je ressemble à un têtard égaré dans un remous. Je suis tout petit sur cette terre : je m'appelle le prince des ouaouarons et j'habite toute la nuit.

(Les anecdotes échouées dans les étangs de la durée remontent à la surface telles des bulles et allongé sur ce plumard j'en ramène plein mes filets : je me souviens, donc je suis. Je me laisse leurrer par ma voix — dans les interstices du Temps cabotinent quelques farfadets qui n'en démordront pas tant qu'ils n'auront pas été immortalisés sur la bande magnétique du Verbe. La mémoire scintille à travers les lointains et il ne me déplaît pas de brouiller les cartes en lui faisant la part belle et nulle.)

Je me réveille dans le noir et Lassie m'avoue que tout prince que je suis une corvée autrement importante l'empêchera désormais de m'accompagner dans mes pérégrinations sans but. Je file vers la grange cramponné à son encolure et tout à coup je les aperçois : des boules mystères. Ils remuent pas les pitous (des pelotes rousses et blanches) mais ils respirent — ravis de se nicher dans ma prunelle après s'être butés au chaos et à ses intempéries.

J'en agrippe un par le chignon et en retenant mon souffle je frotte mon nez contre son museau. Il est tout chaud et doux mon trésor et son cœur bat dans mes paumes au rythme du mien. Jojo soudain surgit les oreilles dressées et (poussant une série de grognements moelleux) me signifie de décamper : je la flatte dans le sens du poil et apaisée elle lèche ses petits à grands coups de langue. Quand elle s'étend ils se mettent aussitôt à téter à tâtons — et moi je me serre contre elle parmi les feuilles mortes et les crottes de souris.

Je sanglotais et ça faisait mal à m'étouffer : leurs glapissements et mes poings serrés sur les paupières et papa qui rit en lançant qu'il faut s'en débarrasser mais qu'il me garde le plus beau. À travers mes larmes j'ai vu les chiots s'engloutir dans les glouglous de la rivière (au fin fond du fond sous les ronds dans l'eau) et je suis resté planté sur la berge avec un rescapé dans les bras — tout seul avec ma haine rampante et avec mon envie de mordre sa grosse main velue qui les avait noyés pour toujours.

Il me comprend mon toutou et il me suit partout telle une queue de veau. Ce matin-là en sifflant comme à l'accoutumée j'ai versé du lait dans son bol mais il n'est pas accouru fou braque à ma rencontre. Je fouine de-ci de-là : dans les hangars et sous le perron, derrière le garage et jusque dans le poulailler — Pipo est nulle part (les yeux clos Jojo geignait ou rêvassait la ganache au sol) et l'âme en peine je le cherche en pensant très fort à lui.

Je l'ai découvert après souper raide mort dans le fossé, les babines crispées et montrant ses crocs. Maman hausse les épaules en m'expliquant qu'il a traversé la route sans regarder. Papa creuse un trou (taloches ou hécatombes je n'ai jamais pardonné — j'ai oublié un peu) et je jette Pipo dedans. Le lendemain j'ai placé une roche là où la terre était fraîche, puis j'ai couru après d'autres objets du désir : mon canif ou ma fronde, le calice des merveilles, un bocal où enfermer couleuvres et cri-cri.

Je me regarde en pleine face en grommelant Tout est bien, car vivre est un élan hasardeux et il n'y a aucune conclusion à en tirer. Le plaisir est éparpillement et donc fragmentation de soi et la fortune continue de me sourire en coin :

j'ai la bouche pleine d'objurgations et de paroles en or. Mais elle trépigne la Fossoyeuse et cherche à m'effaroucher — prostré en marge de moi-même je la nargue et elle fait la grimace à la vue de mon dictaphone. Volubiler me soustrait à ses traquenards et me procure une paix de l'âme plutôt louche.

Je ne renierai pas les règles de conduite (improvisées et provisoires) que je me suis au fil des ans façonnées, puisqu'elles valent bien celles de tous les curés et gourous (oui je reste sourd aux rumeurs de la mauvaise conscience) — comme la leur ma morale est a posteriori et s'appuie sur des pratiques vécues. Je me suis approché de mes semblables toutes antennes dehors et le désir s'est imposé comme la forme de sagesse la plus accessible : outil de connaissance, pierre de touche et grand œuvre.

Je n'avais pas peur et je me tenais quand même sur mes gardes, car lorsque la nuit tombe le Bonhomme-Sept-Heures rôde fâché noir. Les Iroquois l'avaient attaqué par surprise et Michel était figé par la torpeur — ainsi au terme d'une poursuite fantastique ponctuée des bang-bang du revolver il acceptait souvent de faire le mort sans coup férir. Or il a été assommé par le croup pour de vrai : les joues creuses et cireuses il dort pour toujours (ou fait-il à nouveau semblant ce sacripant) dans le nid blanc de son cercueil.

Les yeux rouges et de sombre accoutrée matante Rose priait et sentait bon, tandis que des mots endimanchés résonnaient du haut de la chaire à m'en donner la chair de poule parmi les pleurs et les fleurs — jusqu'à la délivrance du *Requiescat in pace* effaçant tous les délits et péchés. J'ai observé maman (qui cachait son visage sous une voilette violette) et j'ai cru entendre que la Sainte Vierge avait elle aussi assisté aux funérailles du fruit de ses entrailles étripé sur la croix : le soir entre les tombes Popeye braille sur la paille et Michel embaume la nef du paradis avec les effluves de l'encensoir.

Au ciel il vole dans les airs telle la fauvette brune ou boit du Pepsi à plein baril — et vent en poupe il patine tout émoustillé d'un pôle à l'autre à la vitesse de la lumière. Devant le Bondieu en personne il gratte de la guitare (comme un enfant de chœur en passe de devenir pop star) et pour épater la galerie il palabre avec des devins piaillant dans tous les idiomes de l'univers : pur esprit Michel habite au diable vauvert et quand un ange passe il revient sur terre déguisé en chenapan ou en coureur des bois fourré sous la jupe des squaws.

Sur le seuil du progrès ou de l'enfer l'homme pavane et après trois petits tours s'en va. Il accouche de monstres et de projets marteaux, il scinde l'atome et fonde des malempires, d'une mine conquérante il enjambe une tranchée ou la mer

de la Tranquillité (le sang vif comme une pou-
drière et un scalp triomphal à la boutonnière).
L'un crève et dix voient le jour, cent font le grand
saut et mille sont expulsés avec les eaux natales :
rien ne saurait le contenir et Moloch moins que
tout autre croque-mitaine. Car la matière est pro-
lixe et il se trouve partout des millions et des
poussières de corps (la mort-maille) disposés à —
je ne sais plus, j'ai perdu le fil.

Je siffle après Jojo et ensemble nous sur-
veillons papa qui prend place derrière le volant
de son camion. Il emprunte la grand-route qui
conduit au village et quand il disparaît dans la
courbe l'heure est venue : pourquoi jargonnait-
on Faire le train et pourquoi Tirer les vaches —
il ne suffisait pas de tripoter les trayons pour sai-
sir l'analogie entre le tchou-tchou de la locomo-
tive et l'indolence de la gent tétine et ce n'est
qu'en quadrillant les plaines du Géant Vert (à
l'âge ingrat du concept) que j'ai établi un lien
avec le train-train lancé sur les rails de la routine.

Lassé des pièges de l'argot fermier, j'ai été
amené à me pencher sur les causes finales et
intemporelles. Or j'ai beau m'exciter la pie-
mère sur l'essence et ses accidents — les bouses

demeurent brunâtres et le lait immaculé (quoique les Holstein broutent de la luzerne pimen-
tée de trèfle lilas). Dépité je renonce illico à la
fine crème du cogito pour m'occuper de culture : faisant mes délices de la mélodie popu-
laire que maman fredonne *Rossignol, rossignol de
mes amours, quand la lune brillera, quand la cloche
sonnera, viens chanter sous ma fenêtre.*

Tout à coup elle bondit (le tabouret tombe
en pleine marde dans la rigole) et fusille du
regard mononke Armand et Jean-Paul engoncés
dans leurs habits du dimanche. Elle déchiffre
les signes de la malédiction sur leur face de
carême et galope le diable aux trousses vers la
porte : avaient-ils copulé le soir précédent (me
suis-je interrogé plus tard) — ou l'avant-veille
ou combien de jours avant la fricassée de son
corps sous un tas de ferraille.

Je me rappelle que les femmes récitaient le
chapelet vêtues de noir et que dehors les
hommes jasaient en fumant. Je me souviens
d'un corbillard au pas de tortue, de cantiques à
tue-tête et d'un trou béant comme une bouche
édentée : et aussi d'une foule de visages rou-
geauds s'empiffrant de sandwichs (et d'eau-
de-vie) dans la cuisine d'été. Je retrouve maman
en larmes qui avale ses calmants en maudissant
le Bongueux qui est tombé sur la boule — mais
est-ce que je perçois son affliction quand elle
s'arrache les cheveux en accusant mononke
Victor de lui avoir volé notre terre.

Sur les fils et dans les arbres les grives
babillent : il y a des oiseaux plein l'automne qui

sent le fumier, les labours et les feuilles. Les nuages méditent sur la marche du monde, des écureuils s'affairent (la queue en panache) et le feu crépite dans les branchages. Je me repais de silence et une nuit je suis réveillé par des cris — au matin il vente à décorner les bœufs et les draps souillés de sang partent en fumée.

Je n'ai reconnu pour seul seigneur que le plaisir free-volage. Car pourquoi me serais-je empêtré dans une sempiternelle mascarade — dans quel but n'aurais-je aimé qu'un seul homme et sondé les intermittences du cœur jusqu'à l'ennui. Le prince a flatté l'esprit du temps et souscrit aux exigences de l'époque : rien n'a de poids et il vaut mieux s'amuser en affichant un sourire de connivence.

J'ai soumis la réalité à sa volonté et dicté les règles du jeu. Lunatiques ou toqués, gitans ou charlatans, piliers de bar et malabars — beaucoup me promettaient outremonts et longues veilles voire l'amour éternel. Les plus sages ne désiraient m'offrir que leur corps glorieux : arc-en-cieller au fil des caresses, se décharger du fardeau des jours et de la carapace du moi, danser et badiner avant de retomber sous le joug de la loi.

J'ai arpenté la planète en tous sens et jeté ma gourme à l'avenant. Le prince a partout vécu comme chez soi (cette gentille contrée m'exaspère plutôt : opium du peuple qu'une patrie et sa télé) et aux quatre coins du monde j'ai sniffé la félicité. Puisque nul ne fait la fête en son pays il a parcouru les grandes steppes du sexe — il a traversé l'existence dans un état second et le réel m'est apparu secondaire.

Bourré de gruau et de céréales, j'enfile chaque matin ma tuque à pompon et mes mitaines fourrées : au cœur de l'hiver je monte mon toboggan et conquiers sans me ménager les pentes raides menant à la rivière. À midi pile j'assouvis ma faim avec trois platées pleines de bonnes vitamines (macaronis gibelotte blanc-manger) — et après une partie de Parcheesi avec mémère je m'accorde un somme réparateur sous ma Toison d'or.

L'après-midi je vaque à des tâches d'envergure — je fais la tournée des érables afin de les exhorter à tenir bon jusqu'à l'arrivée du printemps, je m'enquiers auprès des crapets-soleils sous les glaces si la température de l'eau est supportable, je colle mon front aux poteaux pour vérifier si les lignes téléphoniques continuent à transmettre leurs messages. Quand j'ai envie de m'évader je m'étends dans le foin : là bercé par les rafales je suce un bout de réglisse en rêvassant ou je surveille l'araignée qui tisse sa toile.

Le soir venu je m'emplis encore la panse et je digère fasciné par les merveilleuses histoires du pays de la télé. Puis je dois là-haut regagner ma chambre où je m'allonge bien pieux sous l'édredon — une fois mes trois Avé ânonnés à la barbe du Seigneur, je profite de la noirceur pour chuchoter des mots doux à Tanagra ou demander conseil aux djinns et sorciers qui veillent sur mon bien-être. La maison craque (j'adore la saison morte parce qu'en moi aussi gisent des jardins de givre) et je m'endors à l'affût de la bourrasque qui se lève.

Mickey Mouse se précipite à mon chevet en agitant une fiole d'huile de foie de morue. Puis j'affronte la poudrerie en me construisant un igloo que j'arrose avec la hose appareillée au boyau : parce qu'on y étanche sa soif d'enfer en se gargarisant de glouglous à la mode de chez nous. Yogi me sert à l'improviste un philtre cho-colaté (au parfum de rhum) — à moitié gaga je me goinfre de gâteau des anges et lime les grif-fes d'une nounurse qui m'a cherché noise en me clouant au lit pour un gros rhume.

Au plus creux de la nuit Batmaman se lève en cachette et s'habille, puis elle empoigne la hache de pépère et se dirige en calèche vers la contrée des guilis-guilis yaks virés kayaks. Roquet-Belles-Oreilles escorte la Panthère rose qui bondit au milieu des Esquimaux en panique : elle pouffe quand il prétend avoir vu l'Ours-Maboul lécher ses plaies au pied d'un iceberg enrobé de miel. Je grimpe sur le dos de Fury qui d'un coup d'aile s'envole vers la mer — sur la surface du miroir bée un orifice assez grand pour que la femme des Neiges puisse s'y engouffrer comme dans le ventre de la Baleine.

(Matante Yvette glousse que désormais oncle Jean-Paul et elle me seront père et mère — et que je me dois de les aimer et honorer comme les commandements de Dieu me l'ordonnent. Car depuis que notre Maître l'a si cruellement éprouvée ma pauvre maman a versé toutes les larmes de son corps : elle est maintenant délivrée de ses soucis et qui peut la blâmer d'avoir enguirlandé l'Éternel et ses éternuements.)

Je dérobe le balai de tante Zézette et dès que je l'ai baptisé je bénis le plus beau bonhomme de neige du monde avec un goupillon viré glaçon. Joe a peur de fondre s'il s'étend à mes côtés et je lui accorde la permission de jouir du clair de lune. Tout à coup ce gros patapouf ronfle à réveiller les morts : je l'engueule et il me fait faire l'aéroplane à cent milles à l'heure — et guidé par l'écho des trompettes du jugement dernier j'atterris dans un pré carré bordé d'allées fleuries.

Des épouvantails y taquinent le luth ou jouent au ballon-chasseur : des poules aux yeux d'or, des dromadaires à moustaches, des ânes avec une queue en tire-bouchon et des pouliches aux ailes jointes. Je rampe jusqu'à la porte de l'empyrée et (à travers le trou de la serrure) j'aperçois une poupée en chair et en os en train de se dévêtir — dans sa chevelure de blé batifole un zozo qui collorature ses trilles et un zèbre palabrant en zoulou.

Je siffle entre mes doigts et nous nous retrouvons sur le seuil d'un belvédère où le grand Bonimenteur (exhibant barbe grise et lunettes cerclées d'argent) trône sur sa chaise trouée. Après avoir analysé mes selles il m'accable de considérations sur la neige et le déluge — et en crachant une patate chaude j'exige à brûle-pourpoint des nouvelles de mes vieux : il allume un cigare en bredouillant Gare au feu et commande à un lutin manchot de pianoter sur l'harmonium.

Il m'informe qu'il y en a une charretée qui s'appellent Pierre Thibeault et Madeleine Théobald. Je me contente d'aboyer qu'il ne perd rien pour attendre s'il me cherche des crosses (et qu'il ne faut pas croquer la pomme avant qu'elle ne soit en compote) — nous quittons ce lieu immonde la tête haute et marchons toute la nuit à travers des paysages décharnés. À la fin Joe me porte sur ses épaules et je me réveille à l'instant où il cherche sa pipe : il n'a plus de figure et ses mains sont en miettes.

Dans l'air ambiant que je respirais sans souci voltigeaient à tire-d'aile : des crossettes de vocabulaire avides d'un sol fécond, des formules à tête de mule ou cousues de fil blanc à retordre et des rengaines flattant la mauvaise graine que je couvais en cachette. J'étais à l'occasion le jouet d'une extase toute païenne (inventant avec Denis du chinois à la noix en pousse-poussant dans le grenier diverses onomatopées bien sonnées ou prêtant l'oreille à des Pygmées flambant nus qui assis dans un char à bœufs conversaient en charabia) — mais le plus souvent je baignais dans la mer des sons comme un canard glissant sur l'onde ou bien je mordais dans la chair du langage tel un louveteau plantant ses crocs dans un tibia dodu.

Josée étant moins fine que sœur Joséphine, j'ai osé nouer ses couettes pendant l'appel en ululant telle la chouette Lulu affolant les belettes avec ses hou-hou — alors qu'en traçant des i à la pelle je crains d'imiter (tout Beauceron que je suis lorsque j'arbore sur mon chandail miteux l'effigie de la sainte Flanelle) la souris virée fifi. Quand au beau milieu de la leçon sœur Élodie se mouche sa drôle de mélodie fait tiquer les moucherons et les pissoupes itou : pourtant elle est la grasse épouse du Bondieu comme les odieux poux le sont de l'ignorance crasse se pavanant en caleçon. D'où il s'ensuit que l'esprit félin d'un orphelin en liesse (tel l'élastique du bolo de Céline tournée maline) emprunte sa souplesse à l'allure du serpent à sornettes.

Je ne me fatiguais pas de voir les minuscules gicler à l'amiable comme le miel du cul des sauterelles et prendre corps au bout de mes doigts maculés : elles primesautent sur la ligne (mozusse de mozusse) ou me chatouillent les papilles, elles se tortillent au bout de ma plume et babillent si ma menotte tremblote ou fourmille. Les pages se noircissent de bavures ou grouillent d'allusions lutines (l a p t o) qui polichinellent en se bouchant le nez — et mon cahier ne se froissait pas de ces milliers de pattes de mouches qui dans une danse fébrile se mariaient à sa substance tel le sel à la fleur de farine.

Oncle Jean-Paul (d'ordinaire dressé sur ses ergots quoique depuis longtemps tombé en quenouille) doit chaque dimanche s'agenouiller devant l'autel pour un *Tantum ergo*, même s'il blasphème par tous les saints kâlisses de ciboires et aime fourrer le chien à l'hôtel Gibraltar comme le roi Arthur autour de la Table ronde — et on l'y surprend en flagrantes délices à l'heure où tante Yvette égoutte ses nouilles au beurre. Or pour la faire endêver (autrement que par mes remarques carabinées) j'ai enterré la fourrure de l'écureuil argenté qu'il avait abattu : parce qu'il est mal de se faire la peau d'un animal pour en tirer un chapeau de poil mangé par les puces.

Le prince a beau être un peu rond (couac-couac d'appellation incontrôlée) il ne ronronne pas : affligé d'un gros bobo il ronchonne et affiche une mine de plus en plus dépitée. La morale sancerrée au goût de ce conte rendu à la fin de son parchemin graille donc qu'un marmot chahutant ne peut passer par le chas des mots (pas plus qu'un chat-huant inaperçu dans un bahut) — ou en clair et en toutes lettres si les barbotes gigotent à gogo sous ma botte, c'est qu'elles ne se sentent pas à l'aise sous les pommiers en fleurs quand elles m'entendent french-cancaner dans le but de ressusciter une époque évaporée.

(Le baragouin maternel de l'enfance appartient au passé antérieur plus que parfait. Emportées à vau-l'eau dans un canot d'écorce, les premières années sont rédigées dans une langue morte sur un palimpseste rongé — et la souvenance traduit et trahit tous les fragments qu'elle racole avant de les recoller. Entraperçu à travers le judas du Temps, le vert paradis n'est qu'une lamentable projection garnie de mensonges : une cure romanesque pour l'ego d'adultes riches en déconfitures.)

Je pourrais sans peine agrémenter ce récit de dizaines d'autres réminiscences : ce maudit accroc sur le genou de mon pantalon neuf, les promesses d'escapades de la glace ce samedi-là ou la saveur bien famée des frites du carême et bien sûr l'odeur endiablée des hot-dogs (mêlée au sexe) sur la plage pullulante de châteaux de sable — sans oublier le blanc duveteux des marguerites effeuillées à tous les vents et le jaune éblouissant des pissenlits transmué en vin acide au bouquet de fruit défendu. Oui des centaines de lueurs flashent ou clignotent pour éclairer la nuit de ce texte.

Sidéré par ma chute et les intérieurs en fermentation, je peux maintenant fouiner dans les jardins de jadis en vue d'y repérer quelques noyaux et pépins. La mémoire (c'est si peu une fonction naturelle : l'écume d'une poignée de minutes à ce point incisives que le temps s'est figé et cristallisé) peut-elle me convaincre que j'ai été. Le cœur cogne (car le stupéfiant sauvé de l'oubli prime si fort) et les souvenirs disséminés au hasard germent selon leur bon plaisir — rencogné dans le désarroi je scrute les débris recueillis dans les labyrinthes de la durée afin de recomposer les motifs formant la mosaïque de ma vie.

J'erre le ventre à l'air (enceint d'un truc-trac malsain) et les médecins m'envoient faire lanlaire parce que leur laser croque-mitraille en vain la révolte de mon squelette. Je tiens encore le coup et en guise de morale ou de panacée je mets quelques phrases bout à bout : je gis, donc je dis. J'ai été à la fois ange et putain et ces paragraphes bien graves n'ont soin ni de louanges ni de ma réputation — ils sont des artifices galants (issus des manèges de la conscience tentant de me guider au pif à travers la frousse) qui mélangent et combinent les dix versions officielles de mon histoire brouillonne.

Une angoisse gluante (gonflée par l'adrénaline suintant de mes glandes débridées) me tiraille quelque part entre la peau et les os. Les internes ainsi que les femmes de ménage me regardent de travers et chaque matin je bute sur l'évidence de ma disgrâce : la maladie rogne mon avenir comme un termite grignotant la poutre dans l'œil d'une charogne. Je funambule sur la corde raide (vomissant indifférence et sérénité) et plus rien n'a de sens — devant moi j'entrevois l'absence comme une éclipse aveuglante.

Je jappe à belles dents et les mots (galets polis par la marée des siècles) sèchent sur mes lèvres tels les trognons de pomme sur ma table de chevet. Des prémonitions grimaçantes ribouldinguent au creux de mes songes (suis-je un marabout condamné à filer un mauvais coton ad vitam-tam) et il n'y a pas de quoi demeurer coi ou cool : je préfère l'arme de la salive aux larmes. Je me débrouille tout seul dans les remous et ressacs de l'art — l'écriture est un remue-méninges dans un verre d'eau et tout bonnement j'écope.

À force d'extirper le plomb dans mon aile je m'initierai peut-être au vol. Les dés sont jetés et je jacte à la barbe de mon dictaphone — les racontars m'amusent et je marmonne sur les bords de mes étangs couverts de nénuphars. J'ai toujours vécu sous la tutelle de ma bonne étoile et (Dracula coulant plus haut que le cul) je me boirai jusqu'à la lie sans broncher. Un trou noir m'interpelle et en marge de la conclusion en souffrance je le narguerai de tout mon poids plume : je veux guérir d'un claquement de doigts ou crever comme un chien.

Afin de me tremper le caractère (et se remettre des affres de ma puberté) tante Yvette avait jugé bon de me cloîtrer dans un pension-nat. De sorte qu'un docte moinillon m'a vite interrogé sur les soubresauts de ma vie inté-rieure : mâle à l'âme, malimages troublantes, effusions dorées et mifasolitaires. Quand il n'effleurait pas l'actualité des enseignements du Chrisse, ce suave gringalet se laissait parfois aller à priser la noblesse de l'amour qui sanctifie notre séjour ici-bas — et j'ai mis du temps à piger pourquoi au cours de nos entretiens il joi-gnait les mains tel un novice habité par la grâce.

C'était une vraie foire d'empoigne pendant ses classes : les plus sages racontaient des his-toires de fesses tandis que les moins timorés commentaient leurs exploits de fin de semaine en brodant autour d'un french kiss couronné par une crampe à leur faire péter les ghosses. Et

les têtes enflées (en feuilletant quelque maga-
zine cochon qui circulait de pitre en pupitre)
s'adonnaient par intermittence à un poker sper-
missif des plus osés — chacun devait verser une
piastre dans une cagnotte que se partageaient
les champions branleurs qui pendant le cours
de propédeutique à l'Exégèse prouvaient leur
attachement à la devise Féconde ton milieu.

Ma présence chavirait cet ineffable aumônier
et j'en étais sans doute flatté. Sentant le Fabergé
et la pipe, il était plutôt du genre contemplatif et
devait guetter dans l'ombre l'heure du chant du
coq : question de m'immoler sur l'autel de la
volupté et de s'envoyer un calice plein de ma
transsubstance derrière le collet romain. Après
tout il devait en avoir ras le bol de juter dans son
froc — avaler quelques gouttes de saint chrême
risquait fort d'ébranler sa foi mais je suis per-
suadé que l'abbé C. avait assez tâté de la transgres-
sion pour en déduire que notre Père (au fond
adepte d'un manichéisme de bon aloi) déborde
de compassion envers nos glands et glandes.

Or un jour de bruine je ruminais la fable *Le
renard et le corbeau* (ou était-ce la parabole de
Jonas ou encore le proverbe Tant va la cruche à
l'eau) lorsqu'au beau milieu de l'étude matuti-
nale cet onctueux révérend m'a fait convoquer.
Pendant qu'il fourrage dans ses papiers, le sem-
piternel crucifix accroché au mur de son
bureau (deux bouts de bois de forme stylisée)
me tend un bras d'honneur — et loin d'être en
verve je me contente de hausser les épaules en
faisant la moue : Il n'existe pas, donc je suis.

(Je flâne en moi-même et suce les reliques glanées tout au long de mon itinéraire. Quiconque revient sur ses pas ne reconnaît plus la trace de ses pieds tant les lieux parcourus ont brûlé ses yeux — je me cherche sans tricherie et tâche de nommer tous les elfes et stigmatisés que je fus et suis. J'ai pratiqué le culte du corps et je n'ai rien à cacher : les feux qui couvent et les doux sentiments, ce n'est pas mon affaire. Ma quête c'était du sexe encore et vivement, le désir partout et toujours, le plaisir on the rocks.)

D'une voix contenue ce curé dans le vent me divulgue que le Très-Haut réserve à chacun des épreuves à la mesure de sa valeur. Son regard se voile et il bêle Gaétan j'ai une très mauvaise nouvelle pour toi et tu ne dois pas douter de Lui. Il se racle la gorge, ses yeux s'affolent et il mange le morceau : mon cher père adoptif est décédé au cours de la nuit d'une crise cardiaque (en douce et sans tintouin) — jusqu'à ce qu'il avale son dentier, oncle Jean-Paul a rempli ses devoirs de béni-oui-oui à la mairie et fait sa denrée des inepties coutumières aux chevaliers de la Bouteille.

Les orgues funèbres ont donc de nouveau déployé leurs pompes et j'ai niaisement observé cette kermesse (ou scène primitive) comme si tout ce dont j'étais témoin réverbérait l'écho d'un drame cosmique raillant les œuvres de l'homme. Les couronnes et les Pater Noster en quantité industrielle, une femme accablée vêtue de noir, le *Dies iræ* beuglé par toute la parentèle — décidément c'était un show obscène et tout ce brouhaha consolait moins que le silence. N'osant braver les convenances j'ai affiché un masque de circonstance : une gueule de zouave zen n'ignorant rien des ruses de la vanité universelle.

Dans mon collège de campagne la plupart des profs s'affublaient de la défroque du prêcheur intarissable. Il leur suffisait de desserrer les dents pour nous bombarder de convictions mûries juste à point — nourritures terrestres et célestes, maximes bidon réchauffées au four, marottes sans couenne servies à la moderne. Ils puaient le tabac (voire la sueur ou l'ail) et s'acharnaient à nous vanter le bien-fondé des vertus cardinales du bercail : la tradition, le travail, l'autorité et la famille.

Ils possédaient une bibliothèque bien remplie et s'exprimaient en termes choisis. Leurs poses trahissaient pourtant la résignation et ils nous donnaient le change. Fourvoyés dans des corridors sans issue ils étaient condamnés à se gaver de phrases creuses et de lendemains qui chantent (en cela dignes citoyens de cette belle province qui se berce périodiquement de souverains poncifs) — comme si l'autonomie d'un pays n'était pas inscrite dans chaque corps sujet :

mon engagement politique s'est limité à la révolution intranquille et sexuelle.

Ils pontifiaient tout ravis, ils devisaient en postillonnant et nous abreuvaient d'envolées sublimes au cube. Non seulement nous les écoutions le plus souvent quasi sérieux comme des papes (alors qu'au fond ils souhaitaient peut-être que nous leur fassions tout ravaler à coups de poing sur la margoulette) — mais nous en redemandions de leur purée de lieux communs. Car les mots valent mieux que rien : l'existence fuyait de toutes parts et nous en étions réduits à nous bourrer le crâne avec des valeurs rescapées de leur naufrage.

En voiture donc — nous sommes une douzaine à nous entasser dans deux tacots et les saintes nitouches de la métropole n'ont qu'à mal se tenir. Un seul joint m'a donné des ailes et enveloppé dans un nuage fleurant bon le sexe et (non sans refouler l'évidence que je n'ai jamais invité une jeune fille en fleurs au cinéma afin de la peloter dans l'obscurité) j'essaie de me représenter cette disco in où sous un éclairage tamisé j'aurai mes coudées franches : là se trémousseront des amazones qui me feront bander le temps d'un slow bien chaud.

Rêvant en couleurs et se voyant déjà dans les bras d'une dulcinée aux seins d'albâtre (et à la touffe ruisselante) Germain a appuyé sur le champignon : pressé de déguster son scrou en yeutant une jouvencelle pulpeuse. J'avais cependant encore assez d'esprit pour me rendre compte que l'aiguille du compteur indiquait

Danger bien plus vite que les conseils de prudence en déroute sur le bord de mes lèvres — mais soudain mon corps embrasse le décor et je m'abîme dans un noir orgasme qui après mille et un tonneaux s'apaise brusquement dans un fracas de ferraille.

Je rampe vers la portière béant à tous les vents et émergeant dans un brouillard spectral je contemple pétrifié la carrosserie profanée de notre ovni : un engin de mort (un tas de scrap) d'une marque déposée dans l'au-delà. Quelque part à l'orée de cette vallée de bitume un groupe s'est formé et je m'y dirige — loin au bout de mes pas (en droite ligne devant la Comet) Germain est étendu à plat ventre sur l'accotement et il râle les fesses à l'air. Et dans le bosquet surplombant la route Guy gît tout démantelé au pied d'un tronc, le ciboulot défoncé et la poire en charpie.

Et afin de conjurer comme il se doit les ténèbres originelles, l'Église a une fois de plus étalé le faste de ses rites : dépouilles embaumées, oraisons déconfites, enterrement bœuf avec moult parents l'échine courbée et toute la boîte affichant une gueule patibulaire. J'étais davantage ulcéré que prostré — à force de prêter l'oreille à notre bon pasteur vasouillant et soulignant le moindre truisme d'un silence vide de sens, la nausée me tordait les tripes.

Dans un premier souffle cet habile vicaire a tout de go déploré les cruelles visées du Créateur (son sadisme prédéterminé) qui en prescrivant le rappel de nos chers condisciples auprès de Lui consentait à ce que l'humanité soit privée de deux apprentis Mozart. Puis mine de rien cette pieuse tapette a fait volte-face : il met de l'eau dans son vin et se répand en louanges serviles — encensant l'harmonie de Sa Providence (mais pourquoi n'ai-je pas eu la décence de hurler) dont les desseins impénétrables rejoignent nos aspirations.

Il vénérait les beaux garçons autant que le Bondieu, alors qu'en présence du Néant il restait calme et mentait à livre ouvert — ce brave ecclésiastique (un tantinet femme de chambre et sépulcre blanchi de bord en bord) avait fréquenté la Sorbonne et il était passé maître dans l'art du sophisme. Ce jour-là j'ai dû me résoudre à ne plus accorder foi aux pâmoisons de mes supérieurs : me jurant d'en faire désormais à ma guise (même si la Sonnawagonne avait tenté de me rabaisser le caquet) sans me préoccuper des dégonflés et des empotés.

J'ai préféré l'œuvre de chair à la création et je ne regrette rien. Car un siècle ne retient que quelques textes (oui le Verbe s'échange contre un billet de loterie au comptoir de l'immortalité) et le prince n'était pas assez sot pour engager tout mon être dans un pari insensé : si peu de romans font le poids et tous les autres sont emportés par l'oubli. Il a butiné les corps au masculin pluriel et non les livres poussiéreux — mon éthique reposait sur les caprices du désir.

Il cherchait la transfiguration des sens et j'ai beau m'astreindre à l'humilité, je n'échangerais pas son destin contre un chef-d'œuvre consacré — j'éprouve même un peu de pitié à l'égard de tous ces hommes de lettres qui ont sublimé et gravé leur existence (carences penchants défaites et nostalgies) sur une peau de chagrin : fondant leur esthétique sur une inaptitude à vivre magnifiée par l'attrait du vide. Mes divagations noc

Et soudain au bout de la nuit mon ciel s'éclaire — j'ai troqué le diamant du plaisir contre une conduite d'échec (un dictaphone et du papier) et je rossignole dans l'espoir d'échapper aux manœuvres de la mort. Or je ne suis pas un écrivain qu'une santé fragile condamne à fabuler sur la chronique de sa vie : plutôt un gay lunaire mal en point qui avide de se flamber la cervelle espère mener à bien ces confessions pour la frime.

Mes feus géniteurs habitaient un ailleurs inaccessible avec lequel je n'avais pas de lien et

j'étais entouré de deux fantoches. Tante Yvette et oncle Jean-Paul (eux ainsi que tous leurs clones) n'étaient pas touchés par grand-chose : ils avaient une peau de cochon et vivaient dans le meilleur des mondes symbolisé par le ragoût et la tourtière — convaincus des assises de leurs croyances et opinions comme des chacals déchiquetant le cadavre d'un lion. J'ai donc grandi dans un frigidaire (ça garde le sens critique au frais) et le sexe est arrivé à temps pour me réchauffer.

En me recueillant, ils se figuraient acquérir une police d'assurance pour leurs vieux jours. J'ai effectivement été un pupille plutôt docile — un futur en or m'était réservé et après des études sérieuses je me révélerais être quelqu'un de respectable : un avocat voire un docteur ou à tout le moins un prof pourvu d'une sinécure à perpète lui permettant d'engendrer deux bouts de chou à son image et ressemblance. Au pis aller je me ferais flic (cerbère du bien au chaud en pantoufles opposé au mal identifiable qui court les rues) et revêtu de l'habit de la Gendarmerie royale je maintiendrais l'ordre dans les siècles des siècles jusqu'à ce que mort s'ensuive.

La norme (le qu'en-dira-t-on accouplé à la Bêtise) régnait sur notre bungaleux en despote et rien n'importait autant que le jugement d'autrui (pas de salut sans la bénédiction de la masse). Incapable de raisonner, tante Bravache se borne à tirer tous les registres du gros bon sens — ne ratant pas une occasion de m'administrer son argument massue selon lequel

Tout'l'Monde pense ou agit comme elle. Avec ou sans son conjoint elle n'était à l'aise que sous l'étendard de la majorité silencieuse : sa nullité avait besoin d'être confirmée par un ramassis de zéros anonymes.

Afin de ne pas être contaminé, je me réfugie à longueur de journée dans le mutisme et j'écris en cachette des poèmes sataniques où il est question d'yeux crevés à coups de fourchette et d'animatrices de quiz (Avon envie de dégobiller Madame) découpées en petits morceaux. Je suis toutefois assez perspicace pour ne pas m'insurger ouvertement : sachant fort bien que mon foyer n'est pas un cercle moins vicieux que celui de mes tchommes du collège — je faisais l'ange pour mieux observer les autrucheries et faux-fuyants propres au grand nombre.

Mes rêveries tournant autour de garçons beaux comme la jungle ont vite affermi ma prétention à réfuter le credo des bonnes gens. Je ne tenais aucunement à suivre leurs brisées et à devenir un pantin soumis et bedonnant jusqu'au tombeau : j'ai tranché les tentacules du conformisme et refusé l'emprise de la loi. J'avais un nom bien gaybécois et plutôt que d'obtempérer et de me perpétuer j'ai flatté en moi le non du père — je me suis blotti dans le nombril d'Éros et je me suis payé du bon temps.

(Les micmacs de Thanatos et les extravagances de ma queue m'ont forcé à vouer cette engeance nommée parents aux gémonies. Ma famille je l'ai dénichée du côté de la gent masculine, au milieu de mes frères et compagnons

de gayté. J'aime ma race s'adonnant aveuglé-
ment au plaisir et libre de — exhibant sa splen-
deur comme un ostensoir porté à bout de bras
par le désir. J'ai besoin d'un corps œcuménique
pour m'enraciner sur cette terre : mon pays ce
n'est pas un pays, c'est la beauté des mâles.)

En attendant le verdict des médecins je
campe sur les sommets de la maladie et contemple les images et paysages étalés derrière mes
paupières — le prince ne fait plus le beau et je
m'efforce de mâcher les souvenirs qui me remontent à la gorge. J'examine tout à loisir le filigrane de la nuit, puis je fixe le plafond jusqu'à
me noyer dans ses eaux. La littérature passe
(mais elle est si rebelle à la fulgurance la parole)
et la blessure fait son œuvre : je crache quelques
phrases qui se bousculent à l'avenant et les
heures filent à la française entre les lignes.
Mais qui suis-je : un possédé embobiné par
ses sentences, un prophète assigné à l'épreuve
du gueuloir, un greffier qui ressasse les obses-
sions dont depuis le fond des âges Cro-Magnon
est affligé, un écrivaillon estropié par les aspéri-
tés de son grimoire. Une procession de zombis
piétinent dans l'ombre (ou défilent au grand
galop) — et les Moires embusquées dans le

fouillis des paragraphes me décochent des œillades ou pianotent sur mes côtes.

La semence de moult amours féconde ce livre et je dois séparer le bon grain des bons mots de l'ivresse. C'est donc ça sa vie : une foison de clichés en noir et blanc, un soupçon de foutre assaisonnant ma salive, une enfilade d'intrigues tirées d'un roman bon marché. L'introspection (les noces de Bibi avec le langage) permet-elle de voir clair — suffit-il de mettre le doigt sur divers bleus et délices pour échapper à soi-même. Il a vécu en marge et je m'esquinte (la trame d'un destin est tissue avec les fils cassés de la mémoire) à noircir quelques pages.

Par-dessus mon épaule j'aperçois (mêlés à la substance même du temps) une cohorte d'amants — des torses polis comme marbre patiné, des culs rebondis musclés soyeux, des bittes déployées en arc-en-ciel au-dessus d'une falaise pourpre. Le prince ne pouvait résister, il léchait suçait et à chaque fois je ressuscitais. Je folâtrais à fleur de peau afin de me laver dans les eaux du plaisir : la nudité de la beauté éclaire mon existence tel un mobile mettant en évidence l'espace tout autour.

Les jours se téléscopent — ils étaient étoilés de corps (tout un chacun propose et le désir dispose) et j'ai cueilli les visages qui m'apparaissaient porteurs de sens. Je suis Gaétan de joie pour le meilleur ou pour une chanson : je n'ai qu'une vie et c'est en gay que je continuerai de la vivre. Disparaître ne m'effraie plus car je ne prends pas la Camarde plus au sérieux que l'étron prémonitoire qu'elle m'arrache quotidiennement.

Je me souviens de sa crinière rousse, de ses épaules tavelées, de son allure dégingandée : Charly cherchait la tranquillité et il voulait se caser. J'ai essayé de lui expliquer que l'amour ne me tient pas à cœur mais que peut-on pour un rêveur en manque qui désire à tout prix se coller à une autre peau (rien et va voir ailleurs si je m'en branle). Son adoration me laissait froid et j'ai boycotté ses obsèques — je ne suis ni juge ni inculpé (il n'y a pas de pardon et je n'espère plus rien de ces aveux) et je m'exècre en éclopé à bout de souffle.

Fabien ta bouille de grand brûlé demeurait vraiment un cauchemar (cela fait parfois si mal de desserrer les dents) car on t'avait rafistolé le portrait à coups de greffes ou de tomahawk —

les mioches en l'apercevant se mettent à brailler, les quidams se métamorphosent en statues de sel et les dames bien attifées tombent dans les vapes: tous la bouche bée et les yeux leur sortant de la tête, comme si un Martien lépro-syphilitique les assaillait un soir d'Halloween.

Il a plus tard été confié à un psy qui à n'en pas douter connaissait un succès monstre auprès d'intellos sens dessus dessous anxieux de vérifier comment la symbolique de l'inconscient est structurée comme un langage. Or il a vite battu en retraite devant un tel énergumène sur le divan, même si Fafa n'avait pas encore intégré dans son vécu le (ph)all-us, le sus/jet et le ça-ça-ça — il n'en pouvait plus de porter le loup de la Sonnawaclown et de prendre journellement en charge l'effroi dans le regard affolé d'autrui: épuisé par les affres du septième enfer il a fait un pied de nez à la fatalité et s'est jeté en bas du toit.

Les apparitions (mais qui croque la boule de billard ou brandit un médius pourri) défilent à tire-d'aile: des silhouettes rayonnantes, des faciès ensorcelés, des masques vaporeux bondissent et me glissent entre les mains. La conscience n'est jamais à bout de manigances et je me résigne à lui accorder sa pitance — au fond de mes rêveries gît un collage fabuleux où je ne distingue même plus mes propres traits.

J'ai gâté mes amants de passage (bavards ou avares de mots, tous maniaques de l'œil et de ses mystères) et ensemble nous avons redessiné la carte du sexe — nous avons rigolé, nous nous sommes saoulés de couleurs et de ferveurs, nous avons grandi en grâce et en liesse. Le prince s'est accroché aux basques du désir et je me réduis maintenant aux impulsions de la langue : hydre sonnée ne sachant plus où donner de la tête.

Toute existence est-elle l'esquisse de ce qu'elle aurait pu être si (si les six cent six si n'étaient légion) — chacun devient à la longue prisonnier de soi et se débrouille dès lors comme il peut. La gayté m'a permis de trancher quelques liens et d'explorer ma cage en faisant fi des doigts pointés. Mais l'euphorie de jadis n'est plus qu'une potion sans effet : j'en suis à me requinquer avec un chapelet de virgules.

J'ai foui dans le passé (mû par je ne sais trop quelle pulsion) dans le but d'exhumer quelques tableaux percutants et je n'ai trouvé que des lambeaux, des scènes banales, des spectres affublés de passementeries. J'ai soulevé la jupe

des Parques et découvert ma propre nudité —
j'ai vécu au présent, je n'ai pas d'histoire à
raconter et ces quelques lignes parachèvent ma
quête : la chair à toutes les sauces.

Cela n'était vraiment pas dans mes cordes —
jouer à touche-pipi en catimini ou à papa-
maman jusqu'à me ronger les sangs, le sexe-
sucette à la sauvette et il est né le divin enfant.
De même les mots giclent et tourbillonnent,
puis s'en vont à contrecœur vagabonder de par
les étroits chemins de la narration (je parle,
donc je suis). Ces annales roucoulent de source
et si besoin est : libre à moi de me littératurer
(au milieu des sables mouvants de l'écriture). Je
tue le temps en me perpétuant et une folle
envie de pouffer atténue mon épouvante.

Il n'y a pas de commune mesure entre la
transparence d'antan et ce babillage : entre la
folie d'autrefois et la lie de ces pages, entre les
corps aimés comme par enchantement et le
corps exsangue de ce récit. Le prince n'étant
plus en odeur de santé, le coureur que j'ai été
n'est plus qu'un discoureur attelé à l'ouvrage —
moult ratures (suivies de quelques coups de
mouchoir) et abracadabra j'ai le droit de me
couvrir du manteau du juste ou du titre de tex-
tueur sans gages.

J'ai été expulsé de mon royaume : couché dans la cale d'un bateau ivre, j'entends au loin le bruissement des pattes de mouches grignotant ce journal à la dérive. Une guitare sans cordes est pendue à mon cou et quand le soir cette angelle me borde je me roule dans les effluves de sa chevelure — ma présence sur terre vire au cauchemar et mon regard luit tel le saint sacrement devant l'autel de la déchéance.

Le prince s'égare dans les volutes de ses rêves et je tourne en rond : il n'est pas bon de s'examiner sous toutes les coutures (aigle cloué au mur par les ailes). Il avait opté pour l'insouciance des sens — or me voici en butte au questionnement perpétuel et au rabâchage. J'en ai plein les bottes de ruminer les épines et les lauriers de jadis et d'alimenter quelques feux de camp.

Le sexe ou Dieu manquent la cible s'ils ne mènent pas à soi (et au delà). L'un et l'autre se veulent un guide dans le chaos : une étoile dans le désert et un point d'ancrage. Par la vénération ou la prière le jouisseur comme l'ascète cherchent à s'engendrer et à rencontrer la Réponse au centre et en dehors d'eux-mêmes. La révélation est peut-être inscrite au bout du rouleau — juste avant la dérision du gouffre.

Je m'obstine et continue à me débattre d'un air ténébreux. J'ai un appétit d'oiseau et je ne suis plus qu'une ombre affligée de nausées : foin de tout ce mini-mélo. Le prince n'est pas doué pour le remords (ni pour le pathétique) — je furète dans les encoignures afin d'y ramasser des indices et si jamais je claque il veut être emporté vers un âge d'or peuplé de faunes beaux comme des images.

Mes trouvailles ne pèsent pas lourd et j'improvise à qui mieux mieux. Je fouette ma monture comme si la mort ne me hantait pas (suis-je vraiment en marche vers elle). Je l'affronte en solitaire — convaincu d'être en mesure de lui tirer les vers du nez et de la forcer à enfin avouer ce qu'elle me réserve. Mon ultimatum est clair : la santé à pas de géant ou le trépas au plus sacrant.

III

Les os

Ils me surnomment le Grand Blond : je me déplume et fane à la belle épouvante. Ils éludent mes questions, ils plissent le front en ajustant leurs lunettes chic et tentent de m'impressionner avec leur charabia. Ils m'en mettent plein la vue de leur morgue (et le cul de leurs seringues) ces dignes savants engoncés dans une camisole de force — ils sont si humains si mesurés et jamais je n'approcherai cet interne à l'œil vif.

J'envoie à tous les diables l'aumônier en mal de désespérés sur lesquels exercer son chantage. D'un air grave les infirmières me dorlotent en fredonnant la dernière toune — et divers médecins en herbe (ou à bedaine) tripotent ma dive personne comme un calice échoué dans l'antichambre de leur routine. Je m'étiole le dictaphone aux lèvres : mais avec une moue stoïque ces docteurs ès tripes relèvent allègrement les ratés de mon organisme.

J'effarouche la corneille fourrageant sous mon lit (tout sourire au parfum de framboise des bois) et je dévisage un pingouin grelottant sous la bise : puis j'écoute charmé le silence dans les frondaisons d'un bosquet. Je lance frondeur des confettis dans les roues du temps et je nage dans le flou en examinant mes lunules — écrire c'est défier la durée et se perdre dans un lacis de tranchées en cafouillant.

Il était une fois un poussin sans chichi obnubilé par les sortilèges du jeune été — il s'initiait aux jeux et aux aléas de sa basse-cour, s'inquiétant avec la même candeur des manigances de la chenille que des grêlons s'abattant sur les moissons. Or voici qu'entre chien et loup (à l'heure où les archanges se font voyous) la crête des peupliers frémit : il aperçut un Barbare court-culotté s'avançant vers lui en tapinois et entendit un râlement monstrueux à en suer tout son sang. Le prince nettoya la semelle de ses bottines dans la luzerne et il fila vers la maison pour s'y empiffrer de fricassée avec un grand verre de lait.

(Il vole de moins en moins haut l'engoulevent — le serein lui pèse et quand le soleil exténué s'apprête à tirer sa révérence il souhaite la bienvenue à la brunante et incite les libellules à poursuivre leur ballet. Face à l'immensité du vide il pousse sa tirade et aligne les aiguës : un autre coup d'aile, une trille déchirante, une pâle minute encore sous l'œil de chat du crépuscule.)

Il était une autre fois (il y a très longtemps) un têtard cloué au lit de son étang : il se gorgeait de maringouins, il badinait avec les nénuphars et quand apparaissait la Grande Ourse il baragouinait sa prière du soir. Or il advint qu'un petit Poucet surgi des nues s'accroupit sur la berge, lui sacrifiant moult larves bien grasses et un violoncelle en chocolat. Les solos du ouaouaron étaient si limpides que l'enfant prit l'habitude de s'immerger à tout bout de champ dans la féerie des quenouilles — jusqu'au jour où séduit par un chiot il mit le holà à leurs causeries et condamna l'Autre à meugler à pleins poumons sur la rive.

Boule de glaise façonnée par l'air du temps (bout de chou fossilisé dans le moule des âges) je hante cette caverne depuis des siècles. Je ne cherchais rien ni personne et toujours une belle gueule m'accaparait — un héraut enrobé de cuir ou de lin embrassait mes genoux et en se libérant de ses oripeaux me révélait à moi-même : mais pourquoi en suis-je à tracer les contours de mon portrait sur la buée du miroir et à m'éclipser au vu et au su de doctes témoins.

Je tente d'esquisser à gros traits l'homme en moi (un gay luron sur cette terre en friche où tout un chacun passe à la sauvette) et au grand dam du prince je suis devenu un tigre de papier couvert de plaies. Les mêmes sempiternelles évidences : les épines et les doutes d'antan me taraudent — embourbé dans la maladie je relique la Voie lactée et remplit mes poches de cailloux blancs.

Comme cet enfant qui émoustillé par la froidure dévalait jadis les pentes enneigées — j'ai glissé et virevolté à fleur de colline (morve au nez j'ai joué mes billes de marbre à qui perd gagne) et je retrouvais mon assiette en goûtant la chaleur du poêle ou en lapant mon potage et il n'y avait nulle discordance entre les jappements de Jojo et la béatitude de mon ange gardien dans la marge : présences tutélaires qui fuient tambour battant sur le toboggan de la mémoire.

Depuis que je suis ici je la flaire dans tous les recoins — les crocs luisants (comme les orbites d'un matou ou le dos d'une bête puante badigeonné de lune) elle me grignote le foie et j'avais enterré mes quenottes pour qu'il ne m'en pousse pas de semblables : canines et pointues aux commissures. À force de me coller aux talons Pipo renifla les vestiges de son origine disséminés par-ci par-là sur la grand-route et la Sonnawagonne l'a massacré.

Une perruche lèche les barreaux de ma cage et je gobe au passage les moustiques qui brouillent la trajectoire de mes songes — cela suffit pour tenir jusqu'à demain. Puis soudain je m'affaisse, ils sont si lourds à porter les mots : des meules sur le bout de la langue (dont tâchait de se débarrasser cet illuminé qui par haine de l'illusion scruta les parois d'une grotte pendant sept ans) et je m'efforce d'aiguiser mes griffes.

Mes ongles cassants ne sauraient érafler la grammaire — l'homme patauge dans un monde sans fondement et il n'y a que le langage qui les raccommode par un malentendu (oui je sème mes signes et mes points sur les i comme on épand du fumier). Entre ces lignes germera peut-être quelque grain de sagesse : un chêne à l'ombre duquel je renaîtrai en sagesse et en grâce, un pissenlit dont je boirai les sucs pour me remonter le moral.

Un vieux loup rôdait à tâtons dans la foulée de quelque chaperon quand non loin d'un marais il perçut là-bas la complainte d'un ouaouaron. Il s'approcha à pas feutrés, s'élança d'un bond et trébucha sur un vagabond bien rond. Une grenouille s'en tapa sur les cuisses — puis elle tomba en syncope à la vue d'un vautour fondant sur elle à toute vapeur.

Il était une fois un chameau dont le seul agrément consistait à se tremper le soir venu dans les eaux du Fleuve ayant roulé sous tous les ponts. Or un jour il s'adonnait à ses ablutions lorsque le docteur Mabuse lui titilla les naseaux sous les espèces d'un raton laveur qui s'insinua dans ses entrailles — il creva en raillant l'univers et combla un chœur de charognards.

Les yeux rivés au plafond (coq en pâte limant les ergots du passé) je m'annule en cherchant mes mots — je louvoie d'une nausée à l'autre alors que jadis le prince gambadait au milieu d'amants survoltés. Tantôt je presse un bouton et tantôt je griffonne divers messages à l'emporte-pièce : ainsi naguère il essayait de soupeser l'âme des mâles qui se frottaient à lui. Il déambule à l'aveuglette à travers des couloirs sans fin et ramassé en chien de fusil je surveille la bobine qui se dévide.

Je m'enfonce et m'incruste dans le matelas : je ressasse la limaille au creux de ses paumes et les heures filent étales dans le sillage de la nuit.

Avec la complicité de la lune je me glisse dans sa peau et porte ses hymnes ou comptines à l'actif de ce roman biscornu (témoignage où haro et flashes s'amoncellent impromptu) — ma main osseuse tergiverse au gré des accords et des flottements de sa voix.

Dans la pénombre (pareil à la taupe sur la lisière d'un ravin) je creuse une tanière où m'ensevelir. Le prince a voulu vivre boule de feu : brûler comme un bâton d'encens, rouler Gaétan dans la mousse du plaisir et non pierre dans le dédale de la grisaille. Il s'est baladé dans l'existence en somnambule et le temps semble venu de m'en détacher telle une feuille d'un bouleau rabougri — et il me reste un petit tas de phrases tirées de mes tréfonds.

Pour cueillir la rose des vents le prince a fumé l'opium du siècle : il a enfilé ses bottes de sept lieues, il a quadrillé ses jardins et bourlingué autour des tropiques du désir. Il arpente maintenant un empire en dentelle effilochée et je flâne (les coudes râpés et le corps drapé dans les fanfreluches de la souvenance) sur les bords d'un abîme en dents de scie. Je racle le versant des jours et je m'écorche les cordes vocales — oui je sais que la peau me colle encore aux os.

Face au Rien je divague en douce et vide les poubelles valsant à l'horizon. C'est drôle (à en chialer) ces spectres embrouillés : il y a des papillons kamikazes dans l'air et les rideaux se font linceul. Je dessine des hiéroglyphes sur les murs et la lampe se casse le cou pour les déchiffrer — une panthère pendue à un hameçon couine à côté de mon grabat, deux cigognes pépient dans le corridor et l'antilope écrouée dans la pouponnière tète un joint en catimini.

Or Adam le serpent dépérissait dans sa cabane — du venin suintait de ses abcès et dans son regard chatoyait la nostalgie de mondes évanouis. À force de loucher vers Tarzan il reprit des couleurs, puis il s'effondra en se rendant compte que ce lascar n'avait d'yeux que pour Mariève (qui avait bazardé son image préraphaélite en posant nue pour trente deniers). Il résolut de la damner sans retour en chatouillant sa vanité : une grosse pomme piquée des vers servit à ses fins.

Quelques paroles doucereuses éveillèrent ses démons — derrière cette moue d'ingénue scintillaient de jolies dents désireuses de s'enfoncer dans la chair de tous les fruits. Elle courut vers son Hercule le sein en proue et lui étala sous le nez ses courbes capiteuses : il mordit dans la reinette en bombant le torse et sous les hauts cris de Gogod le voile du temple se déchira.

Les enfants gâtés du paradis ajustèrent presto leur pagne mais il était trop tard : Lucifer avait épié leurs ébats et il ne manqua pas d'en décrire les astuces à une poignée de séraphins. Théo écouta (tout ouïe sous sa mine de rien) le récit de leurs frasques et quand les burettes de son courroux débordèrent il les déchut en clamant Pourquoi m'avez-vous abandonné — plutôt que de les précipiter dans la géhenne il les déporta ici-bas et depuis lors certains encensent les mythes de l'âge d'or et d'aucuns se vautrent dans la culpabilité originelle.

La Mort s'amuse à m'évacuer par à-coups sournois et elle me chiera jaune en pleine tronche. Je suis down comme une cassette de blues (dans le giron d'un clown râlant de misère) — car elle rime à quoi cette bluette faisant la belle sur le seuil des limbes. On prend soin de me dorer la pilule et j'en ai ras le bol : les petits oignons des gardes-malades, le bataclan des ronds de jambe bien rasée, la visite sporadique d'éminences toutes plus grises les unes que les autres.

Ces rats de laboratoire cultivent le sourcil en circonflexe et se gargarisent de jargon en m'auscultant recto verso. Le prince se détériore rubis sur l'ongle et ils me jettent de la poudre aux yeux : ils ont diagnostiqué un cancer de peau tout nouveau tout beau et se rengorgent d'avoir baptisé mon bobo. J'ai dévié de ma voie et (piégé entre mes hallucinations et mes sales draps) je me suis englué dans ces lieux maudits — mon chemin débouche sur des amen amers.

Je me dirige en trombe vers la tombe et les vampires de l'au-delà se pourlécheront à l'envi. Je ressemble à un écureuil sur le plancher des vaches : j'étais accoutumé à parcourir les saisons en coup de vent et l'on veut me métamorphoser en cobaye. Fatigué de me répandre en courbettes devant un Pourquoi fantôme je caresse le fil du rasoir — il est presque minuit et je suce le pouce de l'Empereur du pire.

Sous les roches que je retournais avec fébrilité il y avait des vers : je les refilais à des pêcheurs pour quelques sous. Je bêchais et à chaque prise je frétillais — j'étais aux anges (cette chapelle tombe en ruine dont la coupole est corrodée par la suie) et j'ose espérer que les achigans ne m'en voudront pas de les avoir trahis par appât du gain tant ils se marrent de me voir ainsi couler à pic.

Mes soldats de plomb barbotent dans une pinte de sérum et il n'y a pas de quoi fouetter un chat — je suis venu (pan-pan) et j'ai vécu, cela vaut-il un sanglot ou un haussement d'épaules. Chandelle à la main j'ai traversé les siècles des siècles et une meute de gorilles cracheront sur mes cendres. Je n'en aurai jamais fini de me débattre dans le bouillon primitif : avant et après moi c'est le déluge tout gluant, un black-out à en perdre la face, un dérapage en blanc.

Ils s'équilibrent dans la balance les magnificences et les regrets (kif-kif et zéro tout rond) histoire de m'en sevrer jusqu'à la dernière goutte : il n'y a pas de quoi rigoler et rien n'est tragique. J'affronte mes moulins à vent avec une plume épointée et je déboulerai au fin fond d'un cercueil en écorce — je siffle dans le noir et cueille des éclats de comète en exécrant la barre du jour.

Mon chemin de croix est parsemé de tableaux mi-figue mi-raisin et la Chose continue de me dépouiller : mes trémolos et mes barniques roses, ma tendresse ma folie ma passion, ne me reste qu'un baluchon percé. Je me souviens de quelques figures (sur certaines j'ai deviné une attente vaste comme une clairière) — oui beaucoup célébraient la jeunesse avec faste et se préservaient des atteintes de l'adulte bardé de certitudes à quat'sous.

Selon toute apparence je n'ai aimé en chacun que Vendredi : le sauvage venu d'Ailleurs, le mangeur de lotus ou le chercheur de diamants, le pirate sans autre refuge que son île au trésor ou son donjon. Mes règles d'inconduite portaient l'insigne de mes vertes années — car tout n'est par la suite que répétitions, variations autour de quelques thèmes choisis, singeries ou one man show à huis clos. À cloche-pied je quitte la scène à ciel ouvert après l'avoir conquise en bondissant.

Je décampe en dictant du bout des lèvres (tempête dans un pot d'urine) et il s'enlise dans son orgueil de pomme de route. Sur la plus haute branche d'un saule un corbeau se bidonne devant le renard qui tourne de l'œil : les abysses manquent de profondeur et le prince somnole au creux d'une noix piétinée par un sanglier — et tel un ermite étourdi par le big-bang je suis à l'affût d'une réponse qui fasse mouche.

Il était une fois (je me rappelle) une mouffette bien à l'image de ses consœurs : diligente et gracieuse elle raffolait de musaraignes et embaumait les esprits trop éthérés. Or un renard efflanqué lui promit monts et merveilles si elle s'associait à ses œuvres — ne lui faciliterait-elle pas la conquête des poulaillers en promenant à la barbe des cerbères la débauche de ses fragrances. La mignonne acquiesça (queue au vent) et à peine eut-elle aspergé une phalange de molosses que d'un coup de mâchoires il l'égorgea en ricanant.

(Les couleuvres avalées font la sieste et l'olivier offre l'asile de sa ramure à toutes les cigales avides de louanges. Au cours des millénaires il s'est si bien fondu dans le paysage que la mer elle-même n'a plus souvenance de l'avoir engendré. Quand les rafales du nord se déchaîneront les paysans le flagelleront à coups de gaule — et si la foudre le passe au fil de l'épée il finira en rondins.)

Il était une autre fois un taureau bien en chair : il avait survécu à moult corridas, estropiant une armada de toreros et en expédiant une douzaine à l'abattoir. Les picouilles éventrées ne se comptaient plus et les picadors se gardaient bien de faire les matamores lorsqu'il risquait sa peau. Or quelque plaisantin l'enferma de bon matin dans la stalle d'un dragon qui lui fit voir trente et une chandelles. Cet après-midi-là il se pavana dans l'arène (le cœur tout confit) et bâilla à la vue de la foule — quand on lui trancha les couilles il lâcha un pet tonitruant.

Le désir a été mon mode de vie : page blanche, jubilation et rature (exil et lucarne le sexe l'écriture). Lui seul m'a permis de tolérer l'existence et de lui donner un sens. Pour me rapprocher d'autrui ou le comprendre il me fallait le pénétrer — la Camarde me pousse dans le cul (de même l'orage s'acharne sur un lampion) et dans son foutre les dés butinent le hasard comme des sauterelles dans le trèfle fané.

La bitte (les poètes eux-mêmes ratent souvent la cible) n'est que l'emblème d'une quête sans but, l'aiguillon qui m'a éveillé à l'Autre, le messie devenu messire et si j'ai baisé tant de mecs c'est qu'ils étaient les gardiens d'une vérité qui brûle — oui je salue mes frères, tantôt caméléons capricieux et tantôt lions foudroyants : mes énergumènes à tout, mes chamans friands de talismans vaudou.

La souffrance a pris le relais du désir : autant il était un tombeur invétéré, autant je m'habitue

112

à être peloté par des sorcières dans leurs petits souliers. L'hôpital me plonge dans ses relents mais au creux de la douleur pétillent des bulles de clarté (comme la cruauté dans les veines du jaguar) et je n'arrive pas à me tenir coi en contemplant le fond du puits — je peaufine ces quelques ébauches en vue d'élucider celui que je fus et suis.

Il a cavalé à travers le zoo de la création et en me roulant dans la fange je me mords la langue. Habiter un corps (grandir jouir souffrir mourir) signifie : être en manque avant de disparaître. Il a beau ravaler ses jurons (ainsi que mes comprimés) le prince ne se résigne pas à ce que les simagrées de la Fossoyeuse fassent de moi une hostie en mal d'une dernière cène — je fais tout un boucan de l'Absence et avec des grimaces il se paie la fiole de cet Incognito qui me gruge.

Tel un carrousel livré à la brume la mémoire croule sous les feuilles sèches. Biffés sans merci ces brouillons ne feront pas boule de neige (les mots me montent à la tête et je me vomis) — je me mets au propre en sourdine et le prince se moque de cet oracle amoché qui n'a rien d'autre à consigner que la bonne nouvelle de sa mort faisant ses gammes. Ceci n'est ni mon corps ni mon sang : ce n'est qu'une trousse de secours, un cataplasme et un baume.

Il a roulé sa bosse ventre à terre et je me suis toujours contenté de peu : un futon à même le parquet, du jus de fruit et des amandes, une morale provisoire trouvée dans la rue. Plus rien n'est bel et bien mien (pas même mes cils et rognures, ni ces feuillets tachés de sueur) et je poursuis nu comme je suis né. Le prince gémit sur sa litière et mon texte se mesure à l'indicible — monté sur mes grands chevaux de bois je tourne en rond et avec la texture du silence je me tisserai un suaire.

En un éclair elles ont surgi les scènes d'un reportage d'antan sur les anorexiques : ils refusent de se bourrer de merde et ce parfois jusqu'à en périr. Les raisons de vivre donnant de la bande ils se jettent (à corps perdu et quasi immatériels) dans un suicide à long terme journellement attisé répété — avec une volonté de fer ils se précipitent dans l'égout et moi je croupis dans cette chambre noire.

Je végète au bord du Néant et la Reine des bouses complote la charge ultime (la fin de l'aria) qui me ramènera à bon port — est-ce bien moi ce lépreux occupé à faire l'inventaire de ses haillons : un taon bourdonnant sous une cloche de verre, un tronc décharné couvert de champignons vénéneux, un étron immolé aux dieux partis en fumée entre les stèles.

Sa voix venait d'ailleurs et dans le grain de sa peau les câlins de plusieurs cultures étaient confondus : dans l'aura du désir se miraient tant de présages et mon affection n'a pas de nom. J'ai marché d'un pas qui se voulait léger et je fermerai les paupières en marmonnant Ainsi fut-il — mon pays ce n'est pas un pays, c'est la vermine ou le lustre des mots en débandade.

À travers les murailles du charnier j'entends la plainte d'une mouette : pas d'avenir mais beaucoup de futur. La caboche dans les nuages (et les mollets dans la gadoue) le prince dégringolera en bas de son piédestal — entraînant dans sa chute la licorne lovée dans sa tignasse. Vent en poupe il a couru après soi pour la forme et je pleure telle une fontaine transformée en cloaque.

En sursis dans les replis de la finitude je me décompose à tombeau ouvert — comme ce Job ronchonnant haut et fort parmi les immondices. Il n'y a aucun remède mais beaucoup de symptômes : où il y a de la vie il y a de la maladie (le mal de dire lui n'est qu'un tressaillement) et je me paie une satanée culbute dans le ruisseau.

J'en bave (fétu dans le caniveau) et à quoi bon remâcher les préceptes en fleurs et les ordures parant ma pourriture : tout est lié depuis l'éperon de papa vissé dans le bas-ventre de maman et le fleuret de Zorro dégonflant les panses — voire depuis la foudre des cieux s'évertuant à brasser la soupe originaire grouillante de scarabées.

Le moulin de la parlotte moud le froment et l'ivraie — l'œil de la nuit se rit des frissons de ma conscience flattée dans le sens du poil. Dans l'iglou des siècles je serai balle de paille jusqu'à ce que les hirondelles me fassent une place dans leur nid. J'envie les soupirs la paix des cyprès : et bientôt je gîterai dans la toison d'un macchabée.

J'accepte de m'inachever en fragments posthumes : empreintes aux humeurs de coquelicot vite effacées par la pluie. La sarabande de mes jours (combien de milliers et des poussières) et ce tas de paragraphes glanés au royaume des ombres — en vérité quelque temps encore et je ne serai plus d'ici.

J'appartiens déjà à la fosse et à ses oraisons truffées de bouquets : il se lamente dans les buissons (j'ai fait du petit bois de son radeau) et je marmotte dans le no man's land qui sépare la thérapie de l'agonie. Je m'appelais le prince des ouaouarons — et je vais m'abolir comme les ronds dans l'eau.

La Faucheuse a moissonné mes chimères : il lèche le sel de l'instant et je rédige mon testament. La danse des abeilles s'est muée en gelée — il peut encore humer les odeurs charriées par l'envol des sarcelles et (après avoir traversé le miroir ruisselant de rosée) je me blottirai sous l'aile d'une oie blanche.

Un perroquet est juché sur mon épaule et une colombe (grisée par l'arôme des points cardinaux) rejoint l'éphémère en partance vers les astres — la légende du dinosaure, le dos de canard des pierres gélives et les colibris voltigeant au nez de mes manitous : tout m'est prétexte à chuchotements.

Les œillades en provenance du Cygne m'aveuglent et il aura fallu que la Faux m'éventre pour que je commence à bredouiller : j'écris, donc je pense (au compte-gouttes) et je puis barbouiller les parois de ma niche de graffiti — les dindes remplies de farce baigneront dans l'huile et les fourmis iront prendre l'air en patins.

Comme une momie dans son cocon je gis au cœur du blanc (mais qui gomme mon profil sur le galbe de l'urne). La littérature est peu de chose et le silence aussi : ils forment les deux traits d'union de mon cul-de-sac — je dis, donc je suis et swingne l'angoisse de la bête à voix dans les grands espaces terrassés par la noirceur.

À la tête du lit des mages délibéraient en se grattant le ciboulot. Leurs rides décoraient le plafond et sur leur crâne veillait un hibou aux yeux révulsés — l'homme des Neiges enveloppera le cadavre du prince dans une tente maculée de fientes.

Le coucou picore le tic-tac de la pendule : rien, les traces d'un nomade s'acheminant vers le septentrion (là-bas des nuées de grillons tapissent les banquises) — rien, le dénuement du corps butant contre les vociférations du firmament et la morsure des ténèbres.

La comète (piquée de flocons) se consume dans les artifices et je me dois de fracasser cette boule de cristal qui brille dans les lointains : j'y entrevois encore quelques visages qui me sont tombés dessus dans une avalanche de révélations — et roule la caisse au fond du trou.

Le mors aux dents elle broute la fleur de l'âge et je rumine les virgules et les chiures agglutinées sur ces rubans pour toujours — je ne possède pas d'autre histoire (ficelée avec du fil d'araignée) que celle que j'ai pu retracer relatant.

Épuisée par mes murmures la luciole a gaspillé sa ration d'étincelles et je me jette dans le bûcher de cette sentence (telle la manne leurrée par les rayons du fanal trouant l'obscurité) — tout est clair : derniers chuintements de ma carcasse moulue.

On ne se guérit pas de la vie ni de la mort : je suis, donc je m'éteins. Mes bouts de souffle chancellent dans la lumière — errant comme un brin d'étoile filante je serai (sous la couche de givre du Temps) graine de tournesol et à jamais point final

Table

DANGER

LE
PHOTOCOPILLAGE
TUE LE LIVRE

*Cet ouvrage
composé en New Baskerville corps 12 sur 14
a été achevé d'imprimer
en janvier mil neuf cent quatre-vingt-dix-sept
sur les presses de*

«L'IMPRIMEUR»

Cap-Saint-Ignace (Québec).